認知症700万人時代の

「成年後見」の使い方

第2版

鈴木雅人
人生最期の付添人
社会福祉士・行政書士

日常生活自立支援事業	民事信託	遺言
判断能力に**不安**がある人の安心のために、福祉サービス利用の援助や重要書類の預かり等を行う制度	信頼できる家族等に**財産を託し**、あらかじめ定めた目的のために管理・処分等をしてもらう契約	財産の持ち主が、自身の**死亡後**の財産の行方について、あらかじめ決めておく法的書類
○ （判断能力が不十分で生活に不安があるが、契約内容の理解や意思表示ができる）	○ （契約内容の理解と意思表示ができる）	○ （内容の理解と意思表示ができる）
ガイドラインや社会福祉協議会の審査会等で確認	公正証書の場合は公証役場にて公証人が確認	公正証書の場合は公証役場にて公証人が確認
本人	本人	本人
市区町村の社会福祉協議会	専門職等、公証役場	専門職等、公証役場
契約締結後すぐに開始	契約締結後、財産を信託する	本人死亡後に執行
社会福祉協議会 （専門員・生活支援員が担当）	信頼できる家族等	遺言執行者の指定が可能 （家族・専門職等）
○ （本人の指示のもと）	○ （目的の範囲内で）	× （通帳等は死後に預かる）
○ （本人の指示のもと）	○ （目的の範囲内で）	×
○ （本人の指示のもと）	○ （目的の範囲内で）	×
× （上記以外は書類を預かるのみ）	○ （目的の範囲内で）	×
×	○ （目的の範囲内で）	△ （遺言内容により、死後に売却することも可能）
× （相談にはのってくれる）	×	×
×	○ （目的の範囲内で）	△ （遺言内容により、死後に財産を渡すことは可能）
×	○ （目的の範囲内で）	×

巻頭付録：成年後見制度とその他の制度の比較表

		法定後見	任意後見
概要		判断能力が低下した人を対象に、**家庭裁判所**が選んだ後見人が本人らしい生活を実現する制度	しっかりしているうちに、**自分で**後見人を選び、あらかじめ頼むことを決めておく契約
利用対象者の判断能力		× （本人の判断能力が低下していることが必要）	○ （契約内容の理解と意思表示ができる）
判断能力の確認		医師による診断書・鑑定をもとに家庭裁判所が確認	公証役場にて公証人が確認
手続きする人		本人、配偶者、4親等内の親族、市区町村長等	本人
相談先		地域包括支援センター等（P62）	地域包括支援センター等（P62）
開始のタイミング		手続き終了後（審判書を受け取って2週間後）すぐに開始	・自分が頼みたい時に開始（移行型） ・判断能力低下し、監督人選任されたら開始（任意後見）
任せる相手		成年後見人・保佐人・補助人（家族・専門職・団体等）	任意後見受任者・任意後見人（家族・専門職・団体等）
財産管理	重要書類の保管	○	○
	普段使う程度の預貯金管理	○	○
	日常生活に必要な費用の支払い	○	○
	財産全体の管理	○	○
	不動産の管理・処分など	○ （居住用不動産の処分は家裁の許可が必要）	○
	消費者被害等の取り消し	○	× （必要であれば法定後見へ）
	家族のために大きな金額を使う	× （基本的に不可）	△ （判断能力ある段階なら可、判断能力低下後は基本的に不可）
	積極的な投資	× （基本的に不可）	△ （判断能力ある段階なら可、判断能力低下後は基本的に不可）

	日常生活自立支援事業	民事信託	遺言
	○	× （家族としての関わりは可）	×
	○ （必要に応じ対応）	× （家族としての関わりは可）	×
	△ （本人ができるように援助）	× （家族としての関わりは可）	×
	△ （本人ができるように援助）	× （家族としての関わりは可）	×
	×	× （家族としての関わりは可）	×
	×	× （家族としての関わりは可）	△ （祭祀の主宰者の指名は可能）
	×	○ （本人死後のことを記載することで可能）	○
	毎月1,200～3,000円程度（生活保護受給者は無料）	・契約時：内容により様々＋専門家に依頼する場合は報酬(50～100万円も珍しくない) ・開始後：家族0円～(専門職の信託監督人をつけたら報酬かかる)	・遺言時：公正証書の場合、公証役場手数料10～20万円程度(財産による)＋専門家に依頼した場合は報酬 ・死亡後：遺言執行者報酬は親族0円～(専門家の場合は報酬かかる)
	社会福祉協議会の運営適正化委員会等	信託監督人の設定も可能	特になし (事実上は、法定相続人がチェック)
	軽度の認知症や障害があり、福祉サービスの利用や金銭管理に不安がある	不動産管理や投資、自身や親族のための財産管理などを、信頼できる家族に託したい	・自分の死後の財産の行方について決めておき、相続トラブルを防ぎたい ・子どもがいない

「成年後見とその他の制度の違いがわからない」という声をよく聞きますが、こうして比較するとそれぞれの特徴が見えてきます。誰にでも合う「万能な制度」などありません。家族関係や経済的な状況、そして「どんな未来を望んでいるか」によって、利用する制度は変わってきます。本書を読み終えた後でもう一度この表を見ると、より具体的にイメージできるでしょう。

		法定後見	任意後見
生活の組み立て（身上の保護）	本人と面談し意思決定の支援	○	○
	関係者とのやり取りやカンファレンスへの参加	○	○
	介護サービスや施設入所等の契約	○	○
	住まい・医療・余暇等を含む生活の組み立て全般	○	○
その他	身元保証人・身元引受人	× （親族であれば可能）	× （親族であれば可能）
	本人死亡後の事務処理、葬儀等	△ （基本的に親族だが、誰もいなければ可能）	○ （死後事務の委任契約を締結しておくことで可能）
	本人死亡後の相続手続き	×	×
費用		・申立時：1～11万円＋専門職に依頼する場合は報酬 ・開始後：親族0円～、専門職毎月2万円前後～ ※詳細はP91	・契約時：2～8万円＋専門職に依頼する場合は報酬 ・開始後：親族0円～、専門職毎月3～5万円前後が多いが様々、監督人選任されたら報酬かかる ※詳細はP121
チェック機関		・家庭裁判所、監督人 ・専門職の場合は専門団体	・判断能力ある段階：本人 ・判断能力低下した段階：監督人
こんな人におすすめ		認知症の親族が、財産管理や契約をできず困っている	自分が入院した時や認知症になった時に、任せられる親族に心当たりがない

はじめに

本書は平成29年に刊行された**『認知症700万人時代の失敗しない「成年後見」の使い方』**の改訂版です。「認知症700万人」「おひとりさま」「成年後見のメリット・デメリット」「手続き・費用」「よくあるトラブル」などの言葉が目にとまり、思わずページを開いた……という方もいらっしゃるかもしれません。

「成年後見」を知っていますか？

本書は、「成年後見」という言葉は聞いたことがあるけれど中身はよく知らない、自分の老後を頼める人がいなくて不安……といったシニア世代や、認知症・知的障害・精神障害の方の家族や支援者のために、成年後見を利用者目線で**ひたすらわかりやすく解説した本**です。

初版は、成年後見に関する予備知識がなくても制度の重要な部分と正しい使い方がわかる、**「最初に手に取る1冊」**を目指して制作しました。

おかげさまで、多くの方に手に取っていただくことができ、**「一番わかりやすい」「これを持って相談に行きます」「成年後見を知るきっかけになりました」**などの感想をいただきました。また、一般の方だけでなく、福祉・介護関係者や専門職の方々にも読まれているようです。

それから6年弱がたち、成年後見のしくみや現状も少しずつ変わってきていることから、全面的に見直し、今回第2版を刊行することにしました。

認知症になったら、どうする?

成年後見とは、認知症、知的障害や精神障害などで自分で自分のことを判断できなくなってしまっても、後見人がサポートすることで「その人らしい、安心・安全な生活」をかなえることができる制度です。

令和7年には認知症の高齢者が700万人を超え、65歳以上の5人に1人が認知症になるといわれています。夫婦とそれぞれの両親のうち1~2人は認知症になる計算で、年齢とともにその確率は上がっていきます。**親の財産管理**や**実家の片付け**、**相続**、**空き家問題**、**おひとりさまの老後**といった様々な問題も派生しますし、決して他人事ではありません。超高齢社会の日本で暮らす私たちにとって、成年後見とは、これからの人生をより良く生きていくために欠かせないものなのです。でも……

悪徳後見人に騙されそうで怖い?

成年後見に関する、様々な報道があります。「**悪徳後見人に騙された**」といったトラブルを耳にしたこともあるかと思います。残念ながら、悪徳後見人や自分の利益を優先する身勝手な後見人がごく一部いることは事実です。それは決して許されませんし、早急に改善すべき事柄です。制度自体も完全なものではないため改良の余地があり、利用にあたっては注意点やデメリットもあります。しかし、**後見利用者の多数が、後見人がいることで自分らしい生活を安全に送ることができているのも事実**なのです。

成年後見について知りたいと思っても、法律用語ばかりの解説書が多くてとっつきにくいという人もいるでしょう。「成年後見＝難しくてわかりにくい、怖い」といったイメージは、制度の普及を妨げる大きな原因となっています。また、知られていないからこその**誤解も多い**です。

そこで初版では、難しい法律用語をなるべく使わず、厳密な解説もあえて省略しました。**利用者の視点**にこだわり、思い切った意見を書いたところもあります。同様に第2版でも、成年後見の現状を分かりやすく伝えることにこだわりました。

私は、法制度を活用しながら、福祉の専門家としての知識・技術・経験を使って、シニア世代や障害のある方々の生活に寄り添い、文字通り「最期まで」お付き添いする後見人として、コロナ禍も含めて15年以上活動しています。そんな「人生最期の付添人」としての現場経験も、ふんだんに取り入れました。

成年後見について知るということは、自分の「今」と「将来」に向き合うことでもあります。楽しいことばかりではなく、厳しい現実があるかもしれません。でも、安心してください。私がついています。なるべく**親しみやすく**、**簡単に理解できる**ようにご案内していきますから。

あなたの「幸せ」のために、本書が少しでもお役に立ちますように。

人生最期の付添人
社会福祉士・行政書士　鈴木 雅人

本書の使い方

本書は、**「成年後見」という言葉を最近初めて知った**という方から、すでに家族に後見人がついている方、自身が親の後見人をしている方、自分の老後のために成年後見について知りたい方まで、様々な方に**役立つ情報をわかりやすく紹介**しています。ご自身の状況に合わせて、知りたいところから読み進めてください。

序章 「成年後見」を知らずに、年はとれない

私たちを取りまく現在の社会状況と、老いや認知症など**今後直面する人生の重大な問題**についてお伝えします。自分や家族が置かれている状況を客観的に見ることで、現実と向き合い、**成年後見の重要性**を感じてもらえるでしょう。

1章 「成年後見」って何ですか？

成年後見とはどんなものなのか、後見人とは何かといった、成年後見制度の概要を紹介します。私たちが年を重ねるにつれて起きる様々な問題と、それらに対処する上で成年後見の利用が有効であることがわかるでしょう。**「成年後見は、私の人生にも大いに関係がある」**と実感してもらえるはずです。

2章　認知症の家族の生活を守る——法定後見

認知症などで**すでに判断能力が低下**した人が利用する「法定後見」について解説します。家族などの身近な人が認知症になったら、どこで相談すればいいのか、手続きはどうするのか、**費用はどのくらいかかるのか**、法定後見のメリット・デメリット、その他**よく起きる困りごと**まで詳しくお伝えします。

3章　自分の老後は自分で決めたい——任意後見

将来、自分が認知症などになった時のために、**元気なうちから準備**しておく「任意後見」について解説します。法定後見との違い、後見人の選び方、契約の仕方、費用、利用するにあたっての注意点などを解説します。**事例も4例**、紹介しています。

4章　「後見人」って何をする人？

あまり知られていない、後見人の役割や活動内容について具体的に解説します。後見人とはどのような心構えで、**どんな風に仕事を進めているのか**、後見人の仕事の範囲（できること・できないこと）などがわかるようになるでしょう。

5章　知らなきゃ損する、成年後見トラブル事例

成年後見の現場で**よくある誤解やトラブル**について、事例形式でお伝えします。トラブルの原因の多くは、情報不足や誤解によるものです。後見人がつくとはどういうことか、**悪徳後見人への対処法**、後見人をつけるのが遅れたことによる非常事態など、具体的にイメージしながら理解していただけます。

終章　自分らしく生きよう

最期まで自分らしく、安心・安全な生活を送ることの素晴らしさについてお伝えします。また、成年後見について理解し、主体的に活用することがもたらす、**「将来への備え」以上の成果**も知ってほしいと思います。**これから何をすべきかが具体的にわかり**、その一歩を踏み出せることでしょう。また、ここでは**本書の中で一番重要な「たった1つのこと」**も解説しています。必ず目を通してください。

構えずに、読みたいと思うところから読み始めてください。本書の全部を理解しようとしなくても大丈夫です。終章の、**一番重要な「たった1つのこと」**。これだけわかっていただければ、上手に成年後見を使うことができます。

【凡例】

※本書は一般読者を対象にしているため、法律用語の厳密さよりも、理解のしやすさを優先した表現で説明している場合があります。

※法定後見と任意後見のみならず、任意後見の移行型まで含めて、「成年後見」としている場合があります。

※狭義の任意後見は将来型（判断能力の低下のみに備えるもの）ですが、生前事務の委任契約（任意代理契約）を追加する移行型や死後事務の委任契約を含めて、「任意後見」としている場合があります。

※生前事務の委任契約や死後事務の委任契約に関しては、本人の利益を尊重するため、任意後見契約と同時に契約するという立場から解説しています。また、生前事務の委任契約の開始時期についても、本人の意向を優先するため、任意の時期に申し出ることで委任事務の開始とするケースを取り上げています。

※成年後見では、法定後見における成年後見人・保佐人・補助人、任意後見における任意後見人、生前事務の委任契約における（任意後見）受任者などが、財産管理や身上の保護をおこないます。様々なケースがあり、それらを個別に解説することが本書の趣旨ではないため、特別な場合を除き「後見人」という表記で統一しています。

※本書は、平成22年の「横浜宣言」や意思決定支援に対する取り組み、平成28年施行の成年後見制度利用促進法・円滑化法（改正法）、第一期・第二期成年後見制度利用促進基本計画、欠格条項の見直し、各種ガイドラインその他成年後見制度に関する情勢を踏まえて執筆しています。また、本人の意向が反映される意味でより重要となる任意後見についての解説や事例にページを割いています。

※成年後見では、本人の意向を無視した干渉的な関わりが強くならないよう配慮し、自己決定の尊重を第一とします。また、すべての人は意思決定能力があることが推定され、自ら意思決定できるような支援を前提に後見活動は行われます。本書もその理念とプロセスを前提としていますが、判断能力が低下した本人の生活と利益を守る観点から、どんな場合にも介入しないというのは現実的でなく、また、平易に解説するために、本人の意向確認などの経過を割愛した部分もあります。

※本書の制作時（令和４年）において、新型コロナウイルス感染症の影響はいまだ多大なものがありますが、感染症の有無にかかわらず本質的な内容をお伝えする方針のもと、感染対策にともなう一時的な措置については原則的に割愛します（新型コロナウイルスに関するページを除く）。

3章 自分の老後は自分で決めたい──任意後見

4章 「後見人」って何をする人？

5章 知らなきゃ損する、成年後見トラブル事例

装丁 小口 翔平+須貝 美咲 (tobufune)
イラスト 鹿野 理恵子
本文デザイン・DTP 株式会社 シンクス

序章──「成年後見」を知らずに、年はとれない

「あと何年生きるか？」と考えたことがありますか？

日本は言わずと知れた世界トップクラスの長寿国。平均寿命は男女とも80歳を超え、主な年齢の平均余命を見ても、65歳で20～24年、75歳で12～16年、85歳で6～8年あります。もちろん、これはあくまでも平均の話ですが、あなたは**自分があと何年生きるか、想像したことはありますか？　そして、その期間をどのように過ごしたいと思っていますか？**

「特別なことは望まない、健康で今と同じような生活レベルを保てたらいい」「ひ孫の顔を見るまでは長生きしたい」「何歳になっても、趣味だけは続けたい」「身体が動くうちにリタイアして旅行を楽しみたい」……いずれにしても重要なのは、ただ長生きすることではなく、いくつになっても健康で楽しい人生を過ごすこと

平均寿命の年次推移

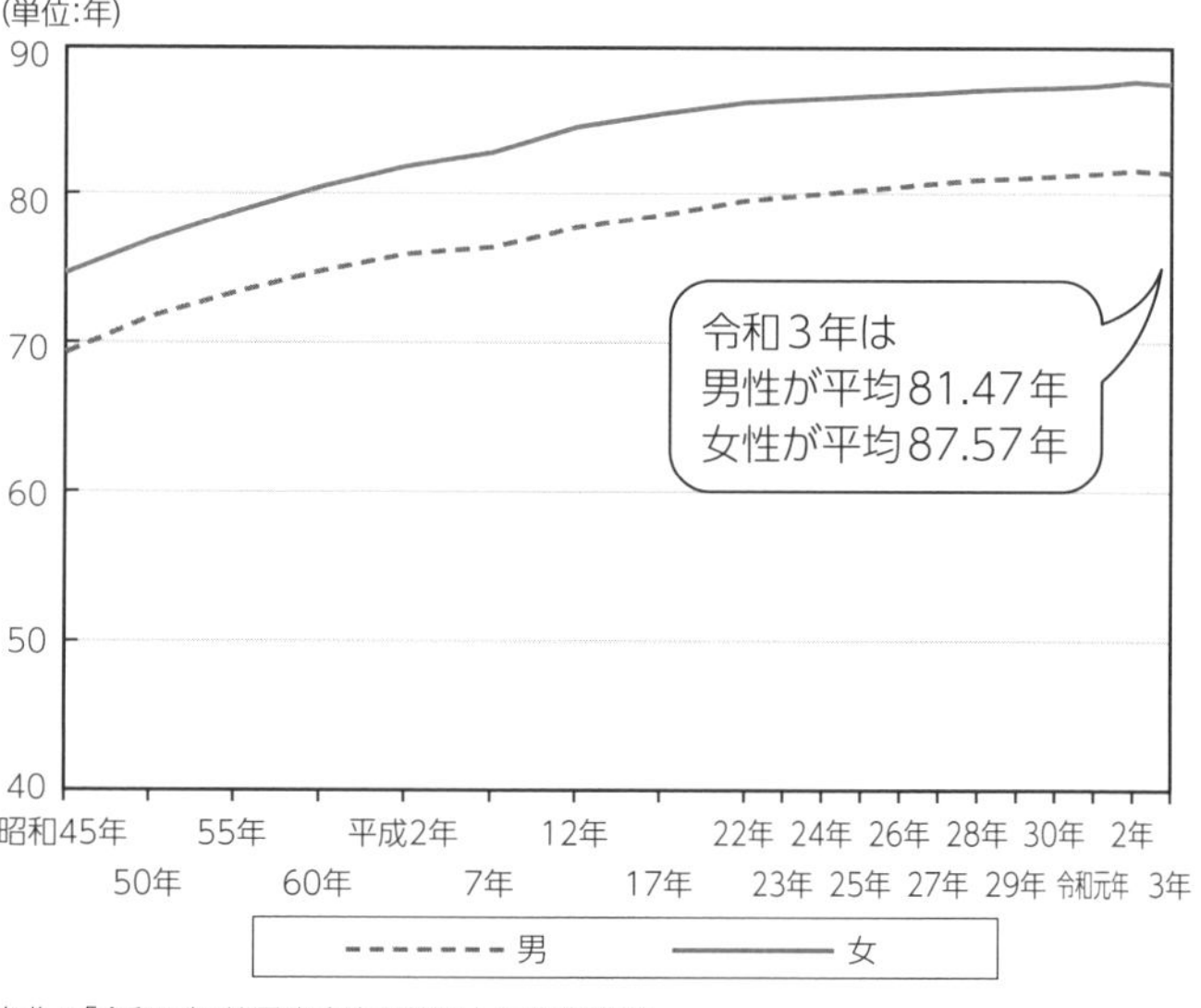

出典：「令和３年 簡易生命表の概況」厚生労働省

ではないでしょうか。しかし、多くの人が、理想の未来を実現するのが危うくなる、そんな**「現実」**が迫っています。

ひとりで老いるのは難しい？

どんな人も、必ず老います。体質や生活習慣による違いはあれど、加齢とともに体力、知力、気力が低下してしまいます。昔と比べて身体の無理がきかない、とっさの動きに対応できない、人の名前を思い出すのに時間がかかる、色々とおっくうになることが増えたなど、様々な変化を誰もが感じます。

しかし、年を重ねるのは悲しいことばかりではありません。記憶力が落ちても、長い人生経験によって思慮深くなったり、数十年をともに過ごした家族や友人と多くを語らずとも心が通じ合ったり、子や孫、年下の友人たちに、自身が培ってきたものを伝えることもできます。何より、今ここで懸命に生きているたたずまいが、1つのメッセージとして周りの人たちに届くでしょう。

その一方で、**「人は自分ひとりで老いることはできな**

主な年齢の平均余命

年齢	男			女		
	令和３年	令和２年	前年との差	令和３年	令和２年	前年との差
45	37.62	37.72	△0.11	43.39	43.52	△0.13
50	32.93	33.04	△0.11	38.61	38.75	△0.14
55	28.39	28.50	△0.11	33.91	34.06	△0.14
60	24.02	24.12	△0.11	29.28	29.42	△0.14
65	19.85	19.97	△0.11	24.73	24.88	△0.14
70	15.96	16.09	△0.13	20.31	20.45	△0.14
75	12.42	12.54	△0.12	16.08	16.22	△0.14
80	9.22	9.34	△0.12	12.12	12.25	△0.13
85	6.48	6.59	△0.10	8.60	8.73	△0.13
90	4.38	4.49	△0.11	5.74	5.85	△0.12

出典：「令和３年 簡易生命表の概況」厚生労働省

い」という現実があります。身体が動かなくなってきたら誰かの助けを借りなければなりませんし、記憶が衰えて自身で記録することもままならなくなったら、代わりに他の人に覚えておいてもらわないといけません。また、気持ちが沈んだ時には、明るくさせてくれるような人との付き合いもほしいでしょう。では、私たちは将来、そのようなサポートを得られるのでしょうか？

老いた私たちを待つのはどんな社会？

現代は子どもの数も少なくなり、「超」がつくほどの少子高齢社会。家族の形態も変わりました。子世帯と同居するシニアの数は減り、ひとり暮らしや高齢夫婦のみの世帯が増えています。さらに、地域のつながりも薄くなり、しばしば報道される**高齢者の孤独死**も大きな社会問題の1つです。昔なら「隣近所の助け合い」が当たり前でしたが、今は「おせっかい」と疎まれたりするので、**手を差し伸べることを躊躇**することもあります。自分のことは自分で、家族のことは家族で、何とかしないといけない時代なのです。

65歳以上の者がいる世帯の世帯構造の年次推移

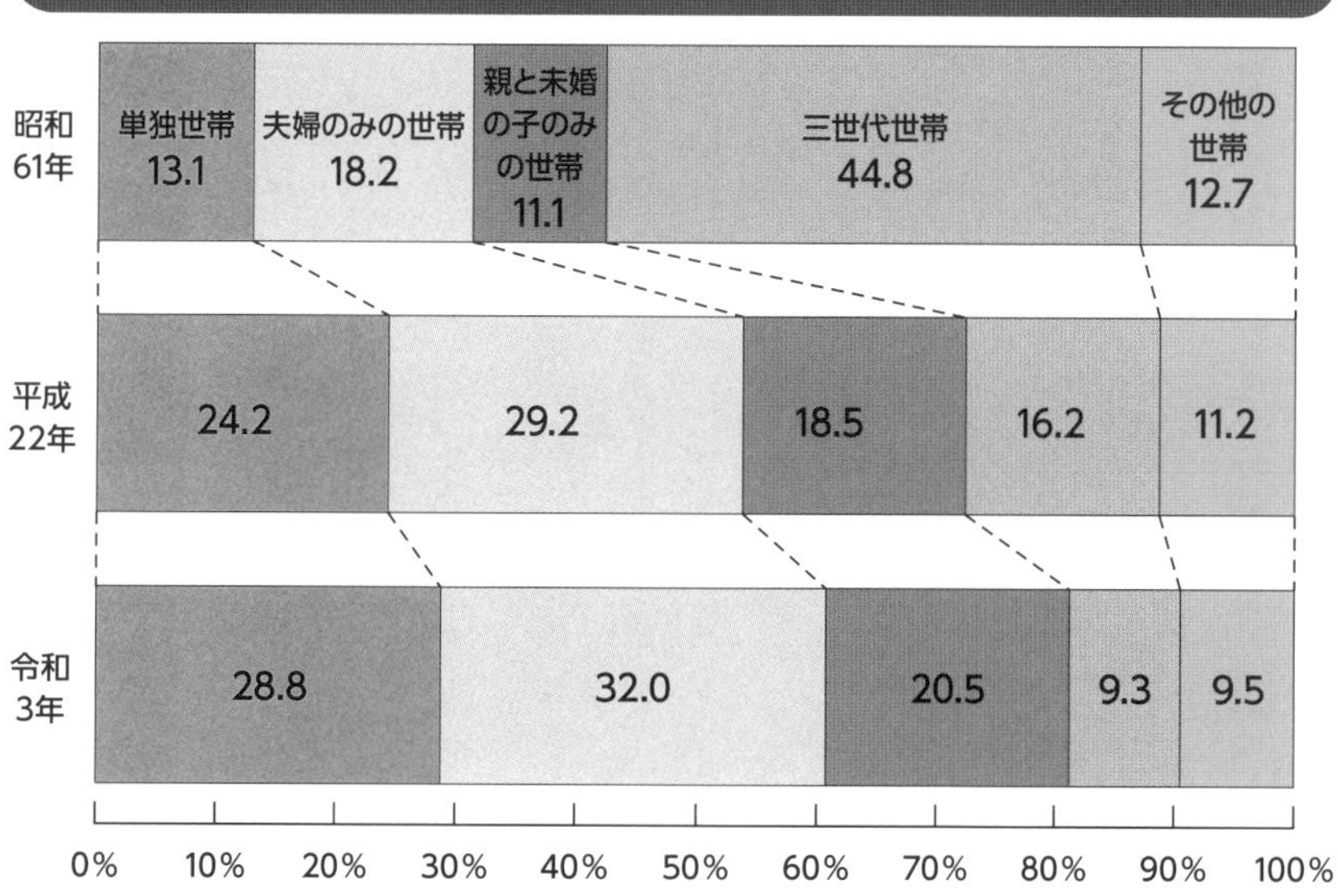

出典：「2021年 国民生活基礎調査の概況」厚生労働省

そして個人主義が進んだ結果、ある意味で融通のきかない社会になりました。個人情報保護法に代表されるように、自分の情報が自分の知らないうちに第三者に知られることがないよう、役所も企業も固くガードしています。

たとえば銀行や証券会社での手続きでは、家族であっても**「本人確認」の壁**に阻まれて自由になりません。本人が元気なうちはそれでも不便がなく、むしろ情報や財産も守られるので安心です。しかし、病気や加齢で身体が自由に動かなくなったり、認知症になったりして、他の人が自分に代わって手続きしようとすると大きな障害となるのです。

価値観が多様化し、生き方にこだわる時代

そして、現代は人々の価値観も多様になり、「自分なりの生き方」にこだわる人も増えています。

私は長年、高齢の方と接する仕事をしていますが、明治・大正生まれが中心だったかつてのシニア世代と現代のシニア世代の価値観の違いを実感しています。

戦後の混乱期を懸命に生き抜いてきた世代は、身近な人とのつながりを重視するあまり自分の意見は主張せずに我慢する傾向が見られました。しかし、昭和生まれが中心の現代のシニアは、豊かさを享受し、自由な考え方をもち、**自分なりの生活**を選択して楽しんできた世代です。

食事を例にとってみても、食材もメニューもたくさんの選択肢があり、自分の好みや、その日の気分で選べます。誰かに勝手に決められた食事を押し付けられる生活なんて、想像できないのではないでしょうか。食事だけでなく、住む場所も服装も趣味も、様々なものに**人それぞれの好み・こだわり**があります。それらは、その人の人生を形作るものであり、**その価値観を捨てて生きることはできない**のです。

認知症700万人時代の生き方

そして、もう1つ大きな問題が目前に迫っています。

厚生労働省の推計によると、令和7年には認知症の患者数が700万人を突破するといわれています。これは65歳以上の**5人に1人が認知症**になるということで、認知症がいかに身近な問題であるかがわかりま

す。あなたの親や祖父母が、そしてあなた自身も認知症になる可能性があり、決して他人事ではないのです。

認知症になると記憶力や判断力が衰えて、家族や身近な人のことを忘れてしまったり、季節や自分が今いる場所がわからなくなったり、自分にとって良いこと悪いことを冷静に考えられなくなったりします。本当はパンやコーヒーが好きなのにそれを食べたいと言えなかったり、熱があるから病院で診てもらうといった判断ができない。心地良い住まいや環境を整えたり、役所で必要な手続きをしたり、銀行でお金を下ろしたりすることもできない……**自分が自分でいられなくなることには、恐怖さえ感じます。**

人とのつながりが薄くなり、融通がきかなくなった社会に生きていて、自分の価値観を大事にしたいと考えている——そんな状況で、あなたやあなたの身近な人が認知症になったら、どうすればいいのでしょう。あなたは誰に支えてもらいますか？　あるいは、どうやって家族を支えますか？

配偶者を看取った人や、独身の人、子がいない人、家族と疎遠な人などにとっては、**年齢に関係なく切実**

65歳以上の認知症患者の推定者と推定有病率

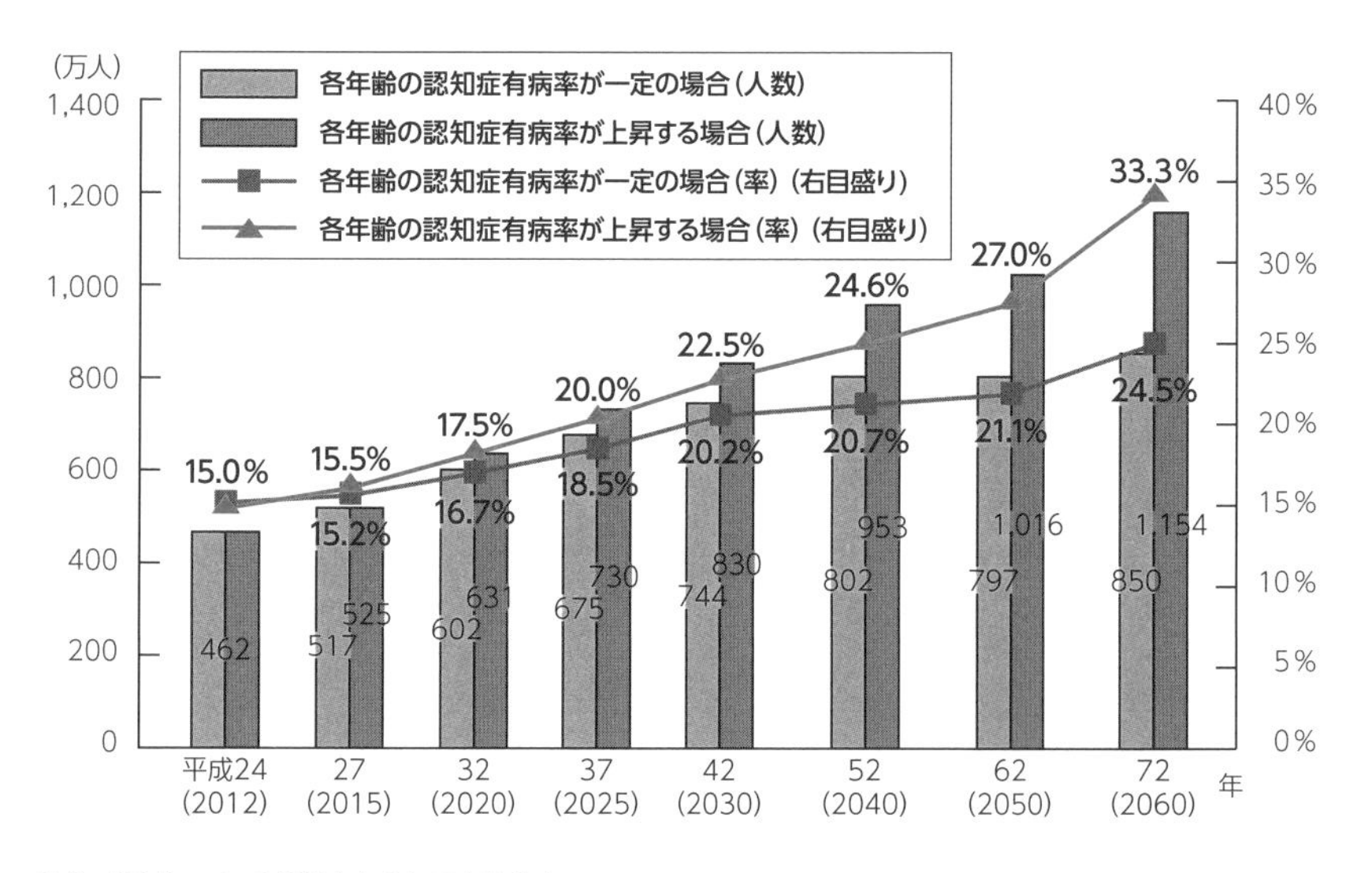

参考：「平成29年 高齢社会白書」厚生労働省

な問題です。たとえ家族がいても、住まいが離れていたり、忙しかったりして手伝えないこともあります。本人が「負担をかけたくない」と断ることも少なくありません。そして、家族がサポートしようとしても、銀行での本人確認などの壁に阻まれてしまうことも起きています。気持ちだけでは、どうしようもないのです。このままだと**必ず困る時が来ます**。

「成年後見」という備え

目を背けてはいられない、現実の問題を解決する方法の1つが「成年後見」です。成年後見のしくみと活用法を知れば、親が認知症になった時の困りごとにも、自分の老後を頼める家族がいないという不安にも対応できます。

制度への誤解やトラブルもありますが、だからといって人生の重大な問題を放置するわけにはいきません。**大事なのは、使い方**。その**コツ**さえ押さえておけば、トラブルや嫌な思いをすることを避け、最期までその人らしい生活を送れるでしょう。そして、不安が安心に変わることによって、今のあなたの生活がさらに充実したものになるのです。

たとえ身体が不自由になっても、認知症になっても、その人らしい生活を安全に送ることができる。それが成年後見であり、**認知症700万人時代を生き抜く秘訣**の1つといえます。

成年後見を知らずに、年はとれない――私たちはそんな時代に生きています。心の準備はよろしいですか？

しっかりと「現実」を見すえて必要な準備ができたら、**素晴らしい未来**が待っています。

それでは、成年後見の世界へとご案内しましょう。

1章

「成年後見」って何ですか？

1 「判断能力」って何ですか？

日常生活は「決断」の積み重ね

私たちは自分らしく暮らすために、日々あらゆることを選び、決断しています。日常には本当に多くの選択肢があり、その一つ一つを自分で選んだ積み重ねが、その人の人生を形作っているのです。

たとえば、日々の仕事や家事、買い物、趣味や友人との付き合い、病気の療養や健康管理、銀行や役所での手続き……何を食べ、どんな服を着て、どこへ出かけて、何をするかなどを、私たちはその都度決めて実行しています。では、**それができなくなった時のことを、あなたは考えたことがあるでしょうか？**

生活で何か不足が生じても自分では対処できず、代わりにやってくれる人もいない。助けてもらえたとしても、生活習慣を制限されたり、好きなものが食べられなかったり、自分のお金を自由に使えなかったり。さらには、病気やケガをしても必要な治療や介護を受けられない、お金や大切なものを騙し取られる……など、自分で自分のことを決められないというのは、恐ろしい状態なのです。

自分らしく、安心・安全に暮らすために欠かせないのが「**判断能力**」。物事を自分なりに考え、選び、決められること、そして決めたことを実現するために行動できることです。疲れていたり、イライラしていたりすると、判断能力は低下します。「疲れていて思わぬ失敗をした」という経験は、誰にでもあるでしょう。**問題なのは、判断能力の低下した状態が一時的ではなく、ずっと続くこと**。そうなると、自分で「選び」「決める」のは難しくなります。認知症や知的障害、精神障害など、判断能力の低下につながる病気や障害はいくつかあります。そして、これらの病気や障害の状態となる可能性はすべての人にあるのです。

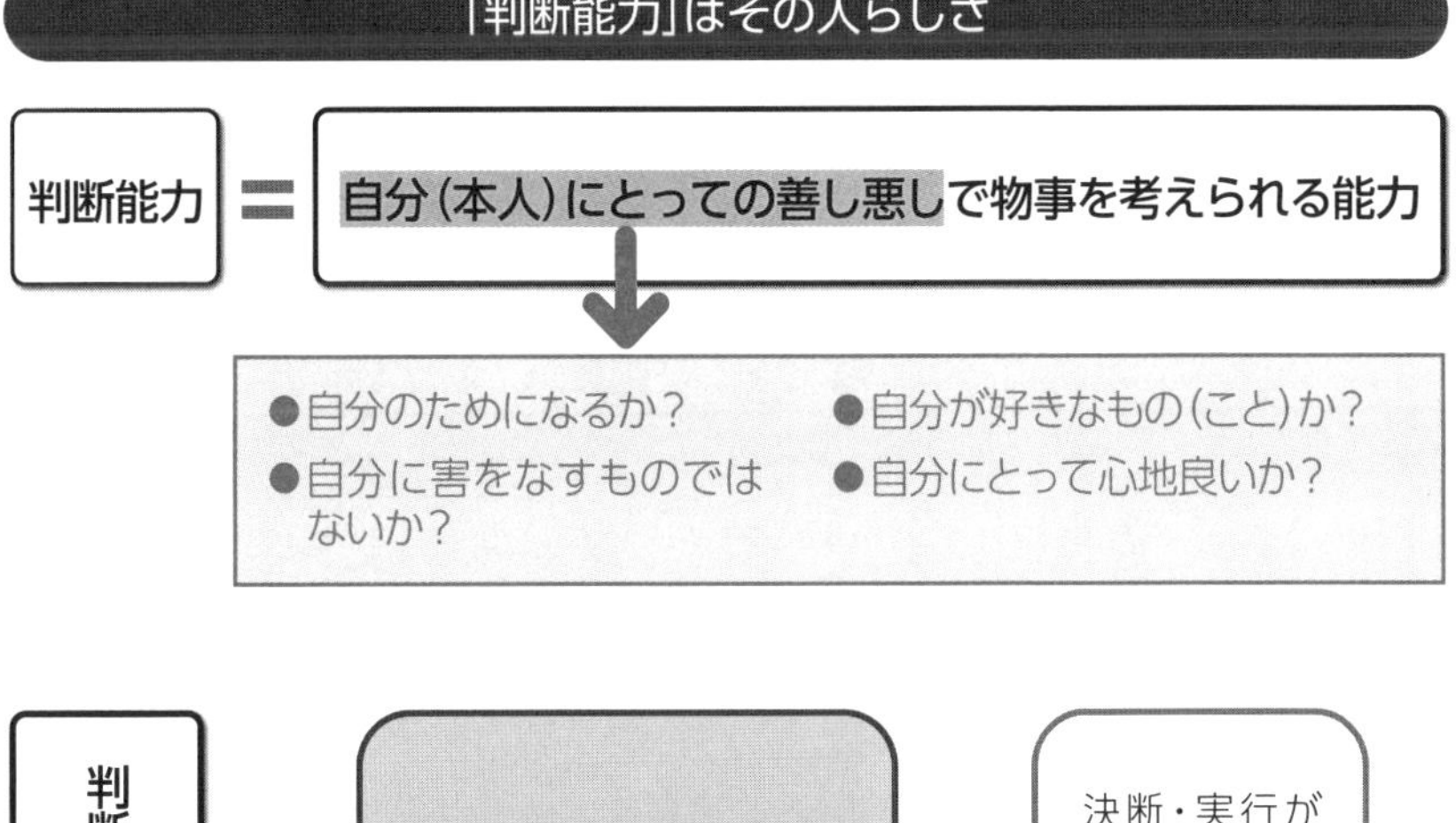
「判断能力」はその人らしさ
判断能力
＝
自分（本人）にとっての善し悪しで物事を考えられる能力
●自分のためになるか？
●自分に害をなすものではないか？
●自分が好きなもの（こと）か？
●自分にとって心地良いか？

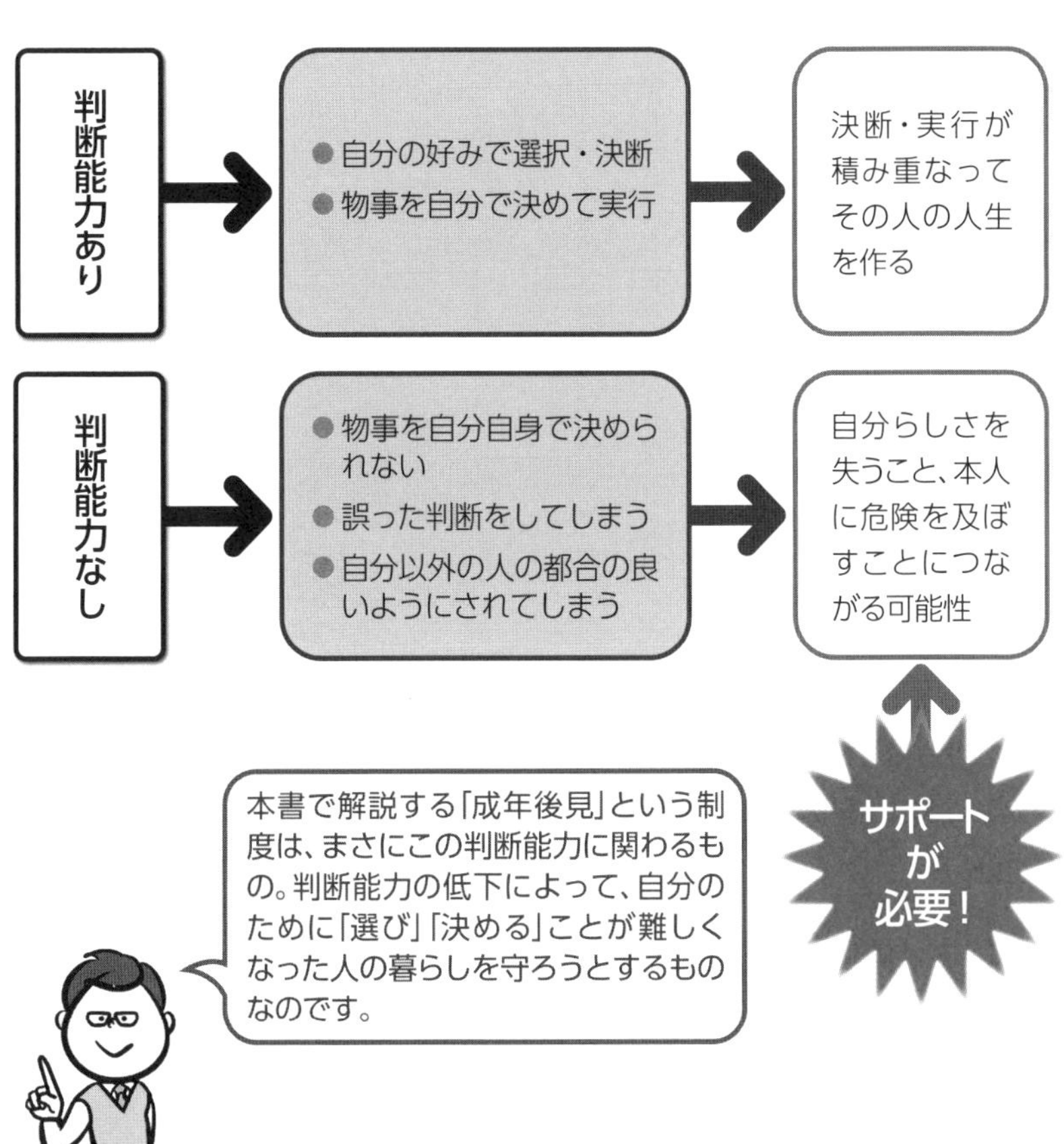
判断能力あり
●自分の好みで選択・決断
●物事を自分で決めて実行
決断・実行が積み重なってその人の人生を作る
判断能力なし
●物事を自分自身で決められない
●誤った判断をしてしまう
●自分以外の人の都合の良いようにされてしまう
自分らしさを失うこと、本人に危険を及ぼすことにつながる可能性
サポートが必要！
本書で解説する「成年後見」という制度は、まさにこの判断能力に関わるもの。判断能力の低下によって、自分のために「選び」「決める」ことが難しくなった人の暮らしを守ろうとするものなのです。

2

名義

家族でもお金を引き出せないのはなぜ？

すべての財産には名前がついている

普段の暮らしから、病気の治療や介護、住まい選びまで、何をするにもお金がかかります。よく「私には『財産』なんて呼べるものはない」と言う人がいますが、財産が多い人は多いなりに、少ない人は少ないなりに、必ずお金を使っています。まずは、「経済的な価値がある**財産には、すべて持ち主の名前がついている**」という原則を知っておいてください。

預貯金、不動産、年金、保険……財産は様々な形で存在しますが、そのすべてに持ち主の名前、つまり「名義」があります。**名義は個人単位**であり、「夫婦単位の財産」などというものはありません。不動産を共有する場合も、それぞれが所有する割合とともに登録されています。もちろん、夫婦で協力して築き上げた財産は、2人ともに使う権利があります。しかし、夫名義の厚生年金で夫婦の生活費をまかなう、妻名義の貯金を引き出して夫婦で旅行に行くというように、お金の出所は個人単位になっているはずです。

金融機関での手続きや不動産取引では「名義」が重要。大切な財産を、本人以外の人の自由にさせるわけにはいかないからです。夫婦2人で築いた財産かどうかなど、窓口の担当者にはわかりません。金融機関や不動産会社にとって、**名義人以外は「他人」**なのです。

ある日突然、夫が脳卒中で倒れて要介護状態に。医療・介護費や生活費のために夫名義の定期預金を解約しようとしたら、銀行の窓口で「本人以外は手続きできない」と断られてしまった。自分が妻であることや、夫本人が窓口に来るのは無理であることを訴えてもダメ——こうした話は珍しくありません。そして、このような場面で初めて、「成年後見」や「後見人」という言葉を知る人も多いです。

すべての財産には持ち主がいる

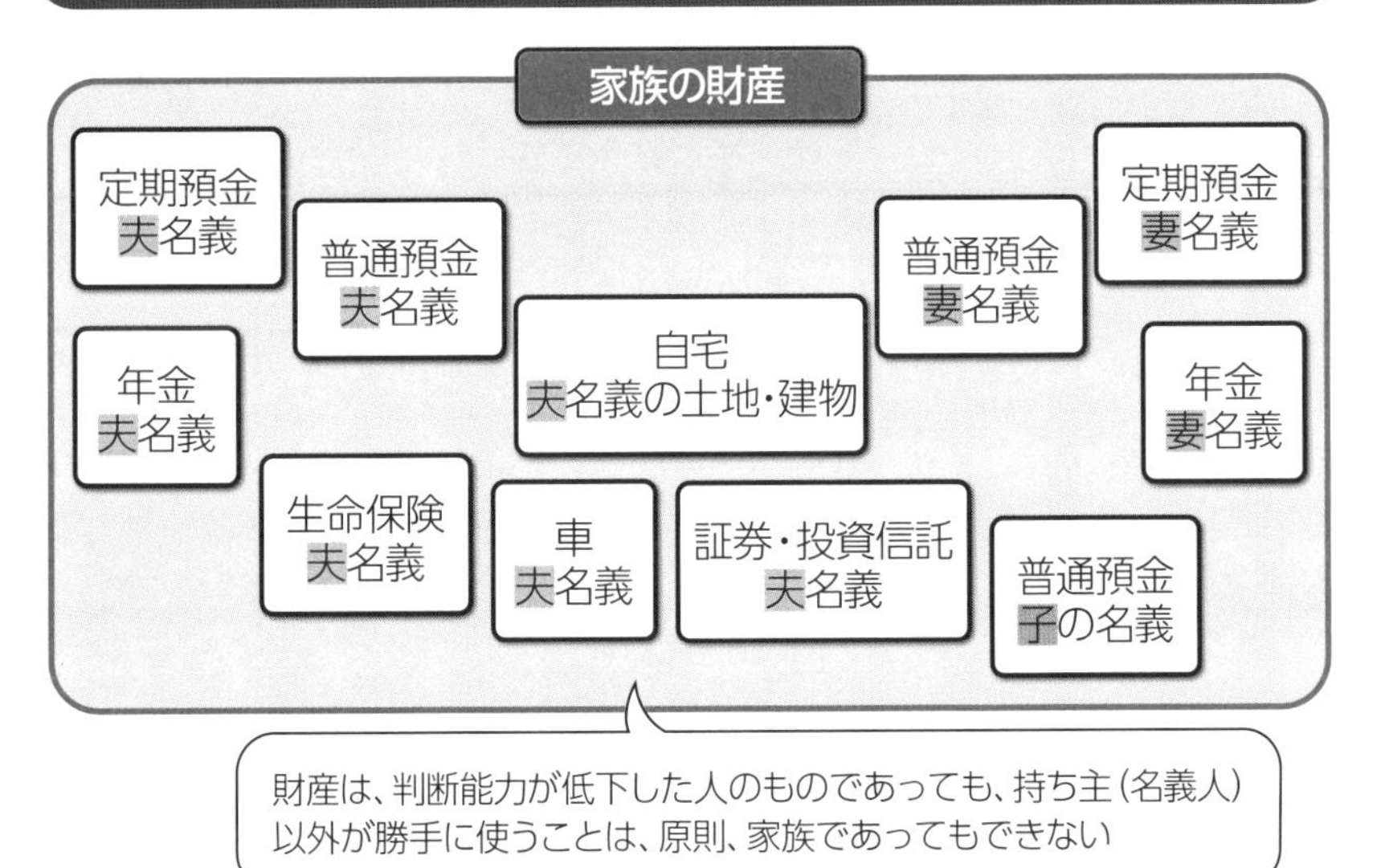

本人でないとできない手続きの例

金融機関

- 10万円を超える現金振り込み
- 50万円を超える引き出し（キャッシュカードの種類により異なる）
  ※70歳以上で取引が少ない場合など、10～20万円を限度とする金融機関もある
- キャッシュカードがない、暗証番号がわからない場合

（上記は）ATMではできない手続き

- 定期預金など口座の解約、引き出し限度額の変更、貸金庫の開閉、新規口座の開設

保険・年金・その他

- 保険の契約者変更、満期保険金・個人年金・解約返戻金の請求や受け取りなどの手続き
- 国民年金や厚生年金、障害年金の受け取り
- 不動産の売却

「本人のお金を、本人のために使えない」という話をよく聞きます。どんなにたくさん貯金していても、いざ必要な時に本人や家族が使えないのでは困りますね。

法律行為

3 いつまでも自分の力だけで生きていける？

手続きが自分でできなくなったら…

私たちの生活の中には様々な「手続き」が存在し、その都度、自分で判断・実行しています。行政などへの申請、携帯電話の購入や機種変更、不動産の売買や住居の賃貸契約、コミュニティやサービスへの入会など。さらに医療や介護、年金、相続など、**年を重ねるにつれて新たに生じる手続き**もあります。

たとえば病気で入院することになった場合、入院手続き、手術の同意書や看護計画の確認と署名、タオルや病衣などのレンタル契約、保証金を支払うための銀行でのお金の引き出し、医療保険に入っていれば保険会社への請求、役所での高額療養費（還付金）の手続きなどがあります。退院後に介護が必要な状態になれば、要介護認定の申請、ケアマネジャーや介護サービスの契約、利用料の口座引き落とし手続きなども発生。施設に入所するなら、施設見学、契約、入居金の振り込み、転居と、さらに多くの手続きが必要です。

これらの手続きは法律的な義務や権利が生じる「**法律行為**」と呼ばれ、本来、当事者（本人）と相手方が交わすものです。しかし、認知症などの影響で判断能力に支障が出ると、契約自体が難しくなりますし、自分にとっての善し悪しもわからなくなってしまいます。

また、判断能力は十分でも、身体が不自由になったり、入院などで身動きが取れない場合は、誰かに代わりを頼むことになるでしょう。

人生の終盤に向かうにしたがって、**自分以外の「誰か」の助け**が必要になる場面はどうしても出てきます。そうした状態になった時、子どもなどの家族に頼むケースも多いですが、家族と離れて暮らしている、縁遠くて頼りにくい、負担をかけたくない、そもそも配偶者や子どもがいないという場合もあります。親に何かあった時に誰がサポートするか？　自分自身に何かあった時に誰に助けてもらうのか？——そんな状況は想像できない、考えたくもないかもしれませんが、

目をそらすのは得策ではありません。その時に困るのは、他の誰でもなくあなた自身なのですから。

判断能力の低下によってできなくなる手続きの例

- 銀行でのお金の引き出し、振り込み、定期預金の解約
- 不動産の売却
- 介護保険の申請、介護サービスの契約・手配
- 入院の契約、病院への支払い、入院中の洗濯やレンタルに関する契約
- 施設や高齢者住宅などの住まい探し、契約、支払い
- 還付金や年金、税金の申告など役所への手続き
- 遺産分割や名義変更の手続き

通信販売での購入契約、新聞の購読契約なども身近な法律行為です。私たちの生活は、こうした法律行為と事実行為（食事、入浴、清掃などの生活行為）で成り立っています。

生きていくために必要な「手続き」は
本人自身でおこなうのが基本

病気で自由に動けなくなったら？

認知症などで判断能力が低下したら？

自分の代わりに手続きをして、
生活をサポートしてくれる人が必要

今は元気でも、ほとんどの人は加齢によって何かしらの病気を患い、介護が必要な状態になり、そして最期を迎えます。いざという時に、自分のための手続きをやってくれる人がいたら、ひとりで暮らしていても、家族と縁遠くても、今後の人生を安心して生きていけると思いませんか？

4 なぜ、成年後見制度があるの？

本人のために「選び」「決める」人が必要

認知症や知的障害、精神障害などで判断能力が低下すると、自分の人生に必要な様々な選択をすることが難しくなってしまいます。住まいを快適に整えたり、好きなものを食べたり、好きな場所へ行ったり、病院で必要な治療を受けたり、介護サービスを手配したり、そして、最期をどこで迎えるか考えたり。自分で日々の生活を組み立てられなくなったからといって、**単に命を長らえればよいわけではありません。**

私たちには、それぞれの人生経験があり、その過程で作られた価値観や好みがあります。判断能力が低下したとしても、それらを全部捨てて「ただ生きている」だけでは、自分の人生とはいえませんよね。どんな状態になっても、その人らしい人生を最期まで送る。そのためには、本人に代わって、**本人のことを第一に考え、「選び」「決める」人が必要**なのです。

日常生活のある程度のことは、家族などが本人の代わりに対応できますが、金融機関での手続きや不動産の売却、施設への入所など、本人以外の人では対処できない場面も出てきます。また、悪意のある者から、本人の財産や権利を守る必要もあります。そのためには**「法律的に」本人を代理**できる立場の者（後見人）のサポートが欠かせません。それを解決するのが成年後見制度なのです。

「成年後見」という言葉をニュースなどで耳にしたことがあるという人は多いですが、その内容まではあまり知られていないようです。しかし、認知症などで判断能力が低下してしまう可能性は、誰にでもあります。親や夫や妻、きょうだい、あるいは**自分自身にも起こり得る**ことで、そんなもしもの場合に備えるためにも、多くの人が知っておくべき制度なのです。

認知症等の高齢者の消費生活相談件数の推移

認知症等の高齢者に関する相談は高水準にある。本人以外からの相談が多いのが特徴で、本人からの相談は2割にとどまる

(件)

年度	件数	契約者が相談者と異なる	契約者が相談者と同一
2012	8,552	84.2%	15.3%
2013	11,020	84.7%	14.8%
2014	9,599	83.0%	16.4%
2015	9,463	82.8%	16.6%
2016	8,881	82.4%	16.7%
2017	9,053	82.5%	16.6%
2018	8,930	81.5%	17.7%
2019	8,823	79.4%	19.8%
2020	8,144	80.1%	19.1%
2021	8,551	78.7%	20.7%

契約者が相談者と同一　契約者が相談者と異なる　無回答（未入力）

（備考）1. PIO-NETに登録された消費生活相談情報（2022年3月31日までの登録分）。
2. 契約当事者が65歳以上の「判断不十分者契約」に関する相談。

出典：「令和４年版消費者白書」消費者庁

消費生活相談の販売購入形態別割合（令和３年度）

	店舗購入	訪問販売	電話勧誘販売	インターネット通販	インターネット通販以外の通信販売	マルチ取引	ネガティブ・オプション	訪問購入	その他無店舗	不明・無関係
全体	21.4	9.3	5.3	27.4	10.4	1.1	0.4	0.8	0.6	23.2
65歳以上	19.1	14.4	8.1	16.2	12.7	0.6	0.4	1.7	0.6	26.3
（参考）認知症等高齢者	12.0	33.6	15.0	3.1	14.2	0.6	0.2	3.0	0.7	17.7

（通信販売計：全体 37.8、65歳以上 28.8、認知症等高齢者 17.3）

0　20　40　60　80　100(%)

（備考）1. PIO-NETに登録された消費生活相談情報（2022年３月31日までの登録分）。
2.「インターネット通販」の相談については、いわゆる通常のインターネット通販より広い概念を含んでおり、例えば、インターネットサイトを利用したサイト利用料や、インターネットゲーム等も、消費生活相談情報では「インターネット通販」に入るため、データの見方には注意が必要。

出典：「令和４年版消費者白書」消費者庁

5 成年後見の制度は誰のためのもの？

基本となる3つの理念

成年後見は、判断能力の低下した人に後見人をつけることで、適切な財産管理や生活の組み立てをし、本人の状況や好みにそって生活の質を保つためのものです。本人の人生を預かる後見人の責任は重大。そのため、この制度には次の「**3つの理念**」があり、後見人はこれを踏まえて活動することになっています。

①自分の人生は自分で決めることが原則。今ある能力を最大限活用するとともに、できる限り本人の意思を引き出し尊重する。その上で、判断能力の低下により不十分になった部分を支援する（**自己決定の尊重**）

②財産管理だけでなく、本人の立場に立った生活の組み立てをおこなう（**身上の保護の重視**）

③判断能力の低下に関係なく、皆が同じ地域で暮らせるようにする（**ノーマライゼーション**）

成年後見に関わる専門家は、原則、専門的な研修を受けることになっており、最初にこれらを学びます。

この3つの理念により、判断能力の低下のレベルに合わせて、**本人を尊重し後見人の介入を最低限**にしていきます。ですから、成年後見は、植物状態や重度の認知症などのためにまったく意思疎通ができなくなってしまった人だけではなく、判断能力がすっかり低下してしまった人から、少し低下し始めた人、さらには（任意後見の場合）病気もなく、判断能力もしっかりしている人まで、様々な人が活用できるものになっています。

また、後見人は個人的な価値観を押し付けたり、本人の話を聞かずに勝手に物事を進めたりしてはいけません。**ただただ、本人のための制度**なのです。

ちなみに、成年後見制度の利用は、個人単位。たとえば夫婦2人とも利用する際も、夫と妻のそれぞれに

後見人がつきます。ただし、（任意後見の場合）2人で同じ後見人とそれぞれ個別に契約することは可能で、

（法定後見の場合）夫婦で同じ後見人が選ばれることもあります。

成年後見の3つの理念

自己決定の尊重

身上の保護の重視

ノーマライゼーション

成年後見人等は個人単位でつく

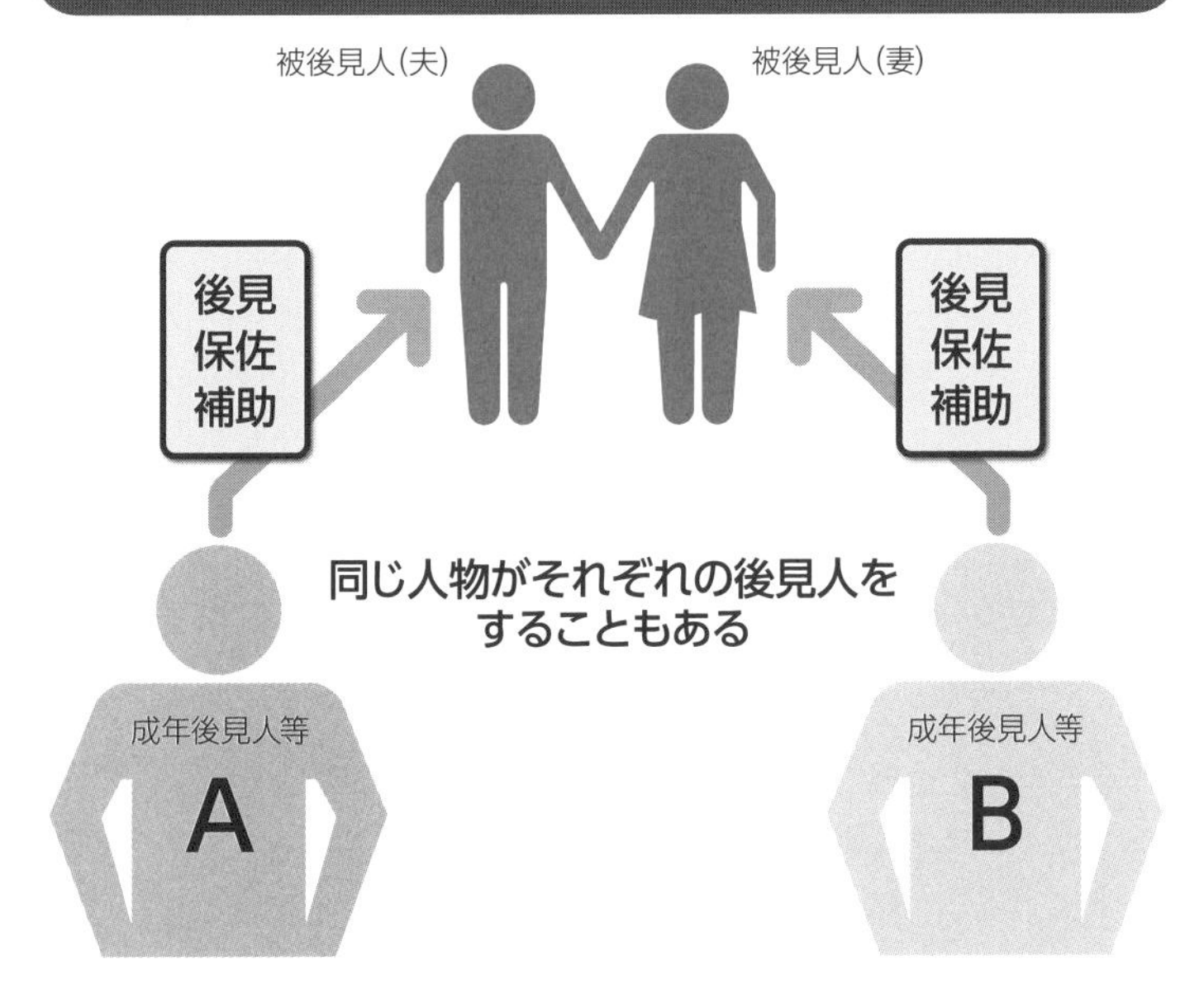

6 どんな場合に成年後見が必要になるの？

身近な人の生活を守る必要がある時

認知症や障害のある家族をサポートする過程で何か手続きをしようとした際に「本人確認」の壁に直面し、初めて制度を知る人も多いです。後見人が必要になるケースをいくつか挙げてみたいと思います。

親の医療や介護は、なるべく親自身のお金でまかないたいところ。キャッシュカードと暗証番号で引き出してしまう人もいるようですが、入院や施設入居のためにまとまった**お金の引き出し**、**高額な振り込み**や**定期預金の解約**をするとなると、後見人が必要になります。

また、認知症の親が有料老人ホームに入るため、親名義の**不動産を売却**して入居金にするといった場合も後見人が必要。認知症により意思表示ができないと不動産売買などの法律行為が行えないからです。さらに、認知症や知的・精神障害のある人などが**遺産を相続する**場合も後見人がつくことがあります。遺言がない相続の場合、遺産分割協議（遺産を分ける話し合い）をおこないますが、その協議で本人が不利益を被らないようにするためです。

認知症などにより適切な判断ができなくなると、悪徳業者に騙されたり、必要のない高価なものを買ってしまったりする可能性もあります。家族が見守れる状況でなければ、とくにひとり暮らしの場合は、**詐欺被害や浪費を防ぐ**ためにも後見人をつけることが選択肢の1つになります。

もちろん認知症や知的・精神障害の症状は様々ですから、全員に即、後見人が必要というわけではありません。判断能力の程度と生活上の支障から必要性を考えていくことになります。

自分の老後に不安を感じた時

一方で、自分自身に後見人が必要となるケースもあります。たとえば、シングルの人で自身が年をとった時に**サポートを頼める親族などがいない**場合、**子どもをもたない**夫婦でどちらかが先に亡くなった場合、子どももやきょうだい、甥や姪などサポートを頼めそうな親族はいるが彼らに**負担をかけたくない**と考える場合などです。このような場合では、判断能力があるうちに自分の「もしもの時」に誰に何を頼むかを考え、後見人となる人を決めておく(任意後見)ことになるでしょう。

今すぐか、将来か、タイミングの違いはあるにせよ、後見の必要性を感じる時は多くの人に訪れます。

後見が必要になる時とは?

認知症の親の預貯金の引き出しや口座解約

「**キャッシュカード**をなくした」「**暗証番号**を忘れた」「まとまった金額を引き出したい」「**定期を解約**したい」という場合は、たとえ家族でも本人以外は手続きできない。

認知症の親名義の不動産の処分

認知症などで**意思表示ができない**場合、不動産売買などの法律行為や手続きができない。また、家族であっても、持ち主以外の人が勝手に売ることもできない。

認知症の親の遠距離介護

認知症の親と離れて暮らしていて、緊急時に**すぐ駆けつけられない**、日常の手続きや支払いなどを手伝えないなどの場合に、親のそばでサポートする後見人が必要。親自身ができない場合は、緊急入院や施設入所への対応も必要になる。

治療法の選択や決断

かかりつけ医や主治医などから、**病状の説明を受け、治療法を選択する場面**で、本人が自分で判断できない、または自分で決めることに不安があるが家族がいないという状況。

※次ページに続く

認知症による詐欺被害・浪費の防止

認知症のために適切に判断できず、**詐欺**にあったり、高価なものを買い込んで**浪費**したりする場合。また、本人の世話をしている親族が、本人の預貯金や年金などを**使い込んでいる**場合。

認知症や知的・精神障害のある人が相続人となる

亡くなった人（被相続人）が法的に有効な**遺言**を作成していない限り、相続人同士で遺産分割について**話し合わなければならない**。相続人の中に認知症の人や知的・精神障害のある人がいる場合、権利侵害が起きる可能性があるため、後見人が本人に代わって遺産分割協議に参加する必要がある。

知的・精神障害のある人の「親亡き後」対策

障害のある人の世話をしている**親**や親族が入院したり、要介護者となったり、亡くなったりした場合でも本人が困らないようにする。

自分が認知症や病気になった時に備える

自分が認知症になったり病気で入院した時に、**サポートを頼める人がいない**場合。とくに単身者、子どものいない夫婦などは、将来、後見人が必要となる可能性が高いので、元気なうちに準備しておくと老後の不安を軽減できる。

家族に負担をかけたくない

子どもやきょうだい、甥や姪などには、自分の介護などで**負担をかけたくない**という場合も、任意後見で家族以外の後見人を事前に準備しておくことが必要。

最期まで自分らしく生きたい

自分の生活スタイルにこだわりがあり、たとえ認知症などになっても「こうしてほしい」という希望がある場合。認知症になると、自分自身がその希望を忘れてしまい、**周囲に伝えられなくなってしまう**可能性がある。

主な申立ての動機別件数・割合（法定後見）

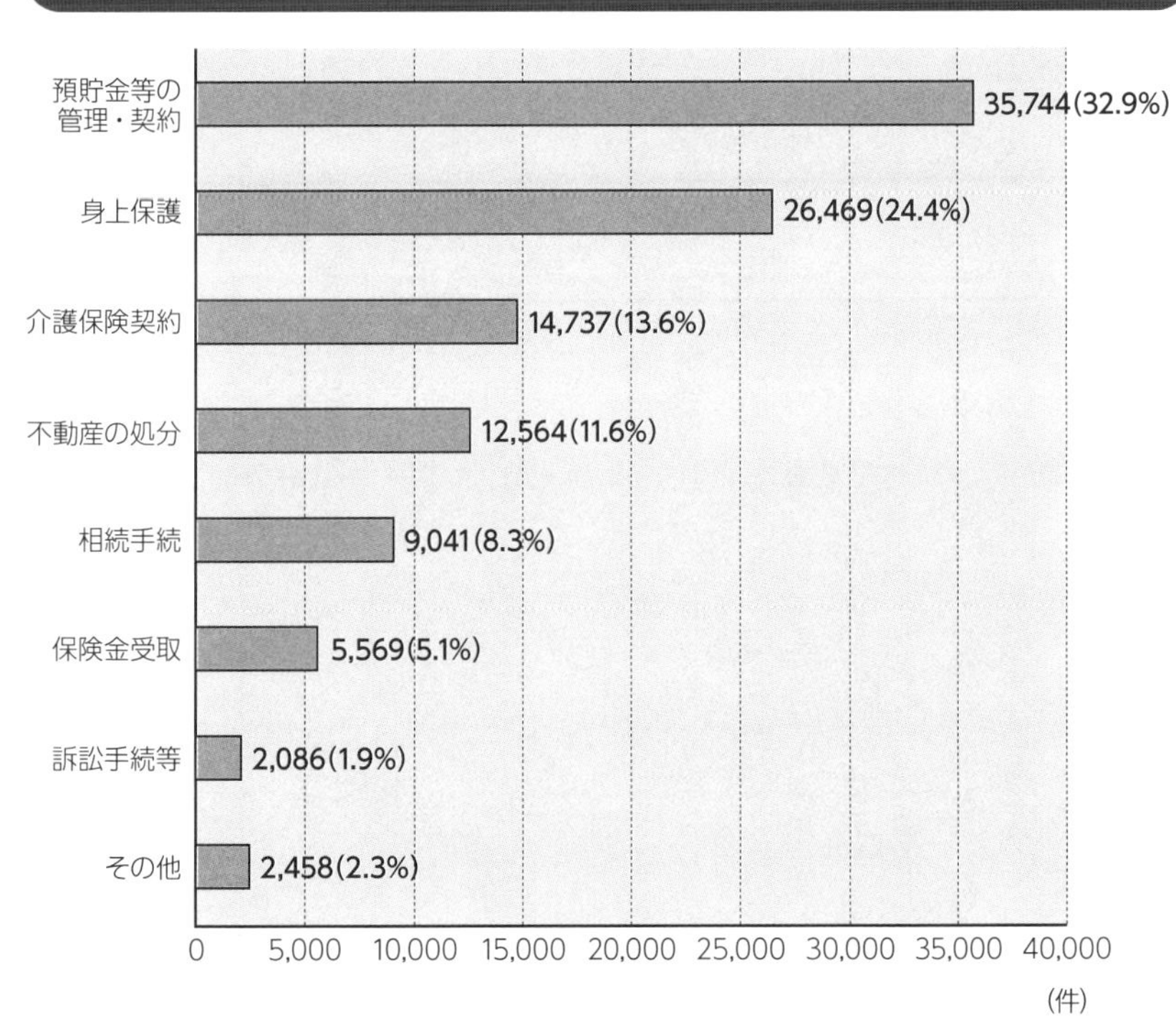

（注1） 後見開始、保佐開始、補助開始及び任意後見監督人選任事件の終局事件を対象とした。
（注2） 1件の終局事件について主な申立ての動機が複数ある場合があるため、総数は終局事件総数（39,313件）とは一致しない。

出典：「成年後見関係事件の概況－令和3年1月～12月－」最高裁判所事務総局家庭局

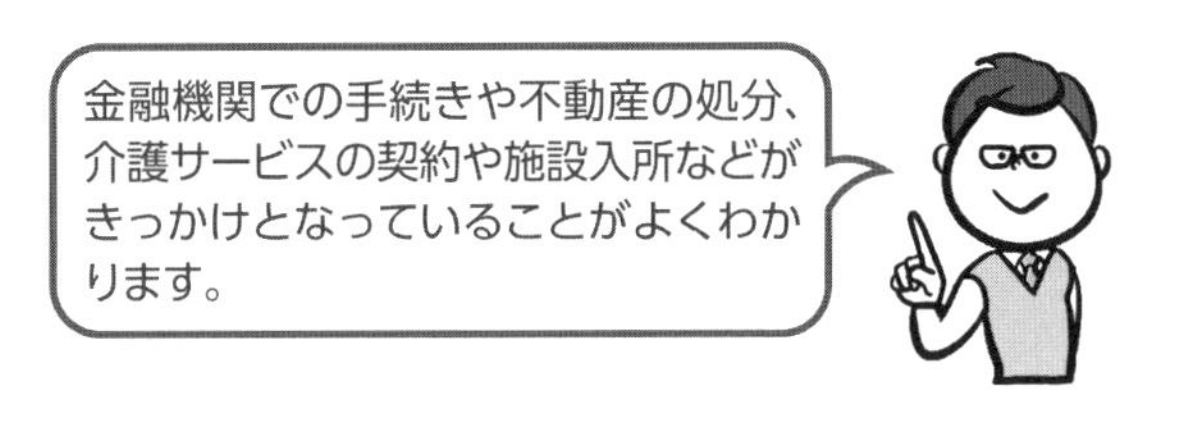

金融機関での手続きや不動産の処分、介護サービスの契約や施設入所などがきっかけとなっていることがよくわかります。

成年後見にも関係あり！「空き家問題」や「実家の片付け」

親が認知症で実家を処分できない

最近、社会問題となりつつある「**空き家**」。長期間、住む人も管理する人もなく放置された空き家には、様々な問題があります。庭木や雑草が伸びて景観が悪化したり、不衛生になったり、建物が老朽化して災害時に**倒壊のおそれ**があったり、無関係な者が不法に出入りして**犯罪の温床**となったりして、近隣住民に不安を与えています。

空き家となる理由には色々あります。たとえば、古い自宅でひとり暮らしをしていた親が施設に入所し、その後、認知症を発症。子どもたちも遠方にいて、その家に住んだり、頻繁に通って管理したりすることも難しい。処分してしまいたいが、家の名義人の親は認知症なのでその手続きもできない……。こうした状況で成年後見のことを知ったり、親に後見人をつけることを考えたりする人も多いでしょう。

また、夫に先立たれた妻が認知症で、相続手続きができずに、名義が夫のままになっているケースもあります。

総務省の調査によると、日本の空き家率（総住宅数に占める空き家の割合）は13・6％で**過去最高**となっています。そのすべてが問題のある空き家というわけではありませんが、増加する空き家問題への対策として、平成27年に「空家等対策の推進に関する特別措置法」が施行。管理されず放置されている「空き家」の持ち主には、自治体から**指導や勧告などが入ります**。勧告を受けた場合は**固定資産税の優遇措置が受けられません**。

後見人としては、このような状態にならないように本人が所有する住宅を適切に管理するとともに、自宅に戻る可能性もなく資金が必要になった場合は、家庭裁判所の許可を得て処分することもあります。

いつの間にか実家がゴミだらけに

親の自宅の問題でいえば、「実家の片付け」も近年話題です。年末年始やお盆に実家に帰ったら、あんなに整然としていた家の中が物であふれかえっていた。**たまらず片付けようとしたら、親が怒り出して喧嘩に**……という話もよく聞きます。

実家が物であふれる背景には、様々な要因があります。たとえば、子が家を出たり配偶者に先立たれたりして物を置くスペースが増えること、世代的に物を捨てることに抵抗があること、思い出のある品が増えること、高齢で身体を動かすのがおっくうになり掃除や片付けの頻度が減ること、性格が昔よりも頑固になり子どもの助言を聞かなくなることなどです。

とくに、認知症になると清潔への意識が低くなったり、物事に無頓着になったり、片付けることを忘れてしまったりします。**自分が心地良く過ごせる環境がわからなくなる**のです。もともときれい好きだった人が認知症になり、**ゴミだらけの部屋で平然と暮らしている**といったケースは珍しくありません。実家の様子の変化は、親の認知症の兆候に気づくきっかけにもなるので、注意しておきたいポイントです。

親の持ち物を片付けようとすると、**「それは必要」「大事な物だから捨てたくない」**と言われたりして、なかなか作業が進まないものです。まずは普段使っていない部屋にまとめて置いたりして、生活スペースの最低限の清潔を保ち、物につまずいて転んだりしないようにしたいところ。足の踏み場もないほど物が大量にあるという場合は、安全を優先して、倉庫を借りたり、思い切って捨てたりするしかないでしょう。片付け業者もあります。

また、**思わぬところに重要な書類や貴金属がしまわれている**ことがあります。親の財産を把握しておくためにも、整理整頓は重要です。

後見人は、本人の意思を尊重しつつ、安全と清潔を確保していきます。家族の協力や業者への依頼を通じて、最低限の片付けをすることもあります。また、どうしても安全な環境を確保できない場合は、住まいを高齢者住宅や施設など**安全な場所に移すことも検討**します。判断能力の低下が原因で安全に暮らせないのだとしたら、**ひとり暮らしが限界のタイミング**を迎えているのかもしれません。

片付けも引越しも、環境が変わることで認知症がさらに進行してしまう可能性もあり、自宅が変わらぬ状態であることが心の支えになることもありますので、注意が必要です。

7 成年後見には2種類あると聞いたけど…？

身近な人のための後見、自分のための後見

詳しくは2章以降で説明しますが、成年後見には、大きく分けて2種類あります。

1つは「**法定後見**」といって、すでに判断能力が低下した人を支援する制度です。認知症、知的障害、精神障害などにより、自分でお金の管理や様々な手続きをするのが難しい人の代わりに、後見人が本人の生活をサポートします。

本人に近い親族（配偶者、子、親、きょうだいなど）が家庭裁判所に申立て手続きをおこない、家庭裁判所の「審判」という形で後見人が決定します。申立ての際に、後見人の候補者について希望することはできますが、**決めるのは家庭裁判所**です。後見人が決まるとすぐに、本人に関する様々な対処をおこないます。

もう1つは、「**任意後見**」というものです。これは、今はまだ判断能力がある人が、将来、認知症などになった場合に備えて、**あらかじめ自分で後見人を選び、頼みたいことを決めておく**ものです。

法定後見の場合は審判により後見人がつきますが、任意後見の場合は、本人に判断能力がある時点で準備するので、本人と後見人に選んだ相手との「契約」という形になります。契約は公証役場で行いますが、その時点ではまだ後見人の仕事は始まりません。基本的に**認知症などの状態になってから**、家庭裁判所で所定の手続きをとった上で開始されます。また、その際は後見人の仕事をチェックする「任意後見監督人」が家庭裁判所によって選ばれます。

法定後見は、私たちの身近な人（親や配偶者や親戚など）が認知症や障害の状態になった時のための後見、**任意後見**は、判断能力がある私たち自身が、将来認知症や障害の状態になった時に備える後見といえます。

法定後見と任意後見の主な違い

法定後見

- すでに**判断能力が低下**した（低下し始めている）人が対象
- 認知症や知的障害、精神障害などが原因
- 本人に近い親族などが家庭裁判所に手続きする（申立て）
- 判断能力のレベルによって支援の種類が成年後見、保佐、補助に分かれる
- 支援する人を、**成年後見人・保佐人・補助人**と呼ぶ
- 成年後見人・保佐人・補助人は家庭裁判所の裁判官が選ぶ
- 支援を受ける本人は、成年被後見人・被保佐人・被補助人と呼ばれる

任意後見

- 現在、**判断能力がしっかり**している人が対象
- 自分の判断能力が低下し、支援が必要になった時に、自分の代わりにしてほしいことを依頼する
- 判断能力があるうちに、本人が後見人を引き受けてくれる人と契約を結ぶ
- 公証役場で公正証書を作成
- 引き受けてくれる人を**任意後見受任者**と呼ぶ
- 実際に後見業務が始まるのは、契約後、本人の判断能力が低下し任意後見監督人が選任されてから
  - ・任意後見受任者が家庭裁判所に手続き（申立て）
  - ・任意後見受任者が任意後見人になる
  - ・任意後見人を監督する任意後見監督人がついて後見スタート

自分の
将来のために
契約する

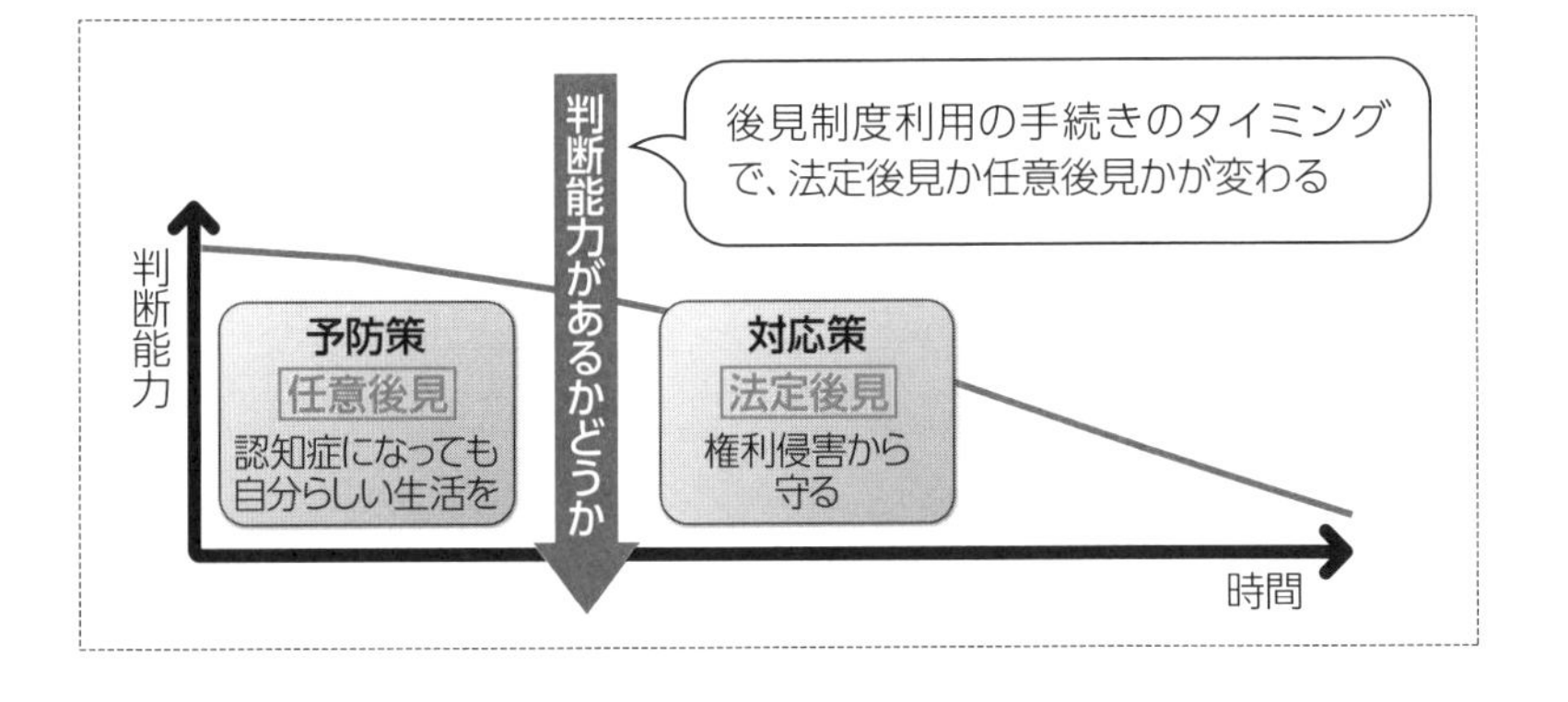

8 やっぱり家族が後見人になるの？

親族後見人は全体の2割以下

成年後見を利用することになった場合、誰が後見人になるのでしょうか？　後見人の決め方は、法定後見（身近な人のための後見）と任意後見（自分のための後見）で異なります。

法定後見では、家庭裁判所の裁判官が後見人を選びます。後見人になるための特別な資格はありませんが、本人の親族、弁護士や司法書士、社会福祉士などの専門家が多いです。申立て手続きの際に、後見人の候補者を記載できますが、本人の状態や財産状況、必要な支援などから総合的に検討するので、必ずしも希望した人が後見人に選ばれるとは限りません。**後見人を本人（あるいは家族）で選べない**という点は、法定後見の大きな特徴の1つです。

ちなみに、令和3年では、子などの親族が後見人となるケースは全体の**およそ2割弱**。専門家の後見人が7割弱を占めています。また、社会福祉協議会やNPO法人などの法人、市民後見人などが後見人になる場合や、複数の人が後見人になる場合もあります。

一方、**任意後見**は、本人に判断能力があるうちに契約しますから、自分で後見人を選ぶことができます。判断能力が低下する前に、後見人になってもらう人との付き合いがスタートするので、**相性も重要**。いざという時に通帳を預けて、様々なことを任せるわけですから、「この人なら任せられる」と思える人かどうかがカギとなるでしょう。

また、自分で選べるということは、自己責任でもあります。任意後見契約をした後でも、本人に判断能力があるうちは、公証役場を通して**解約**できます。しかし、認知症や障害の状態となった後での解約は簡単にはいきません（P144）。

成年後見人等と本人の関係別件数（法定後見）

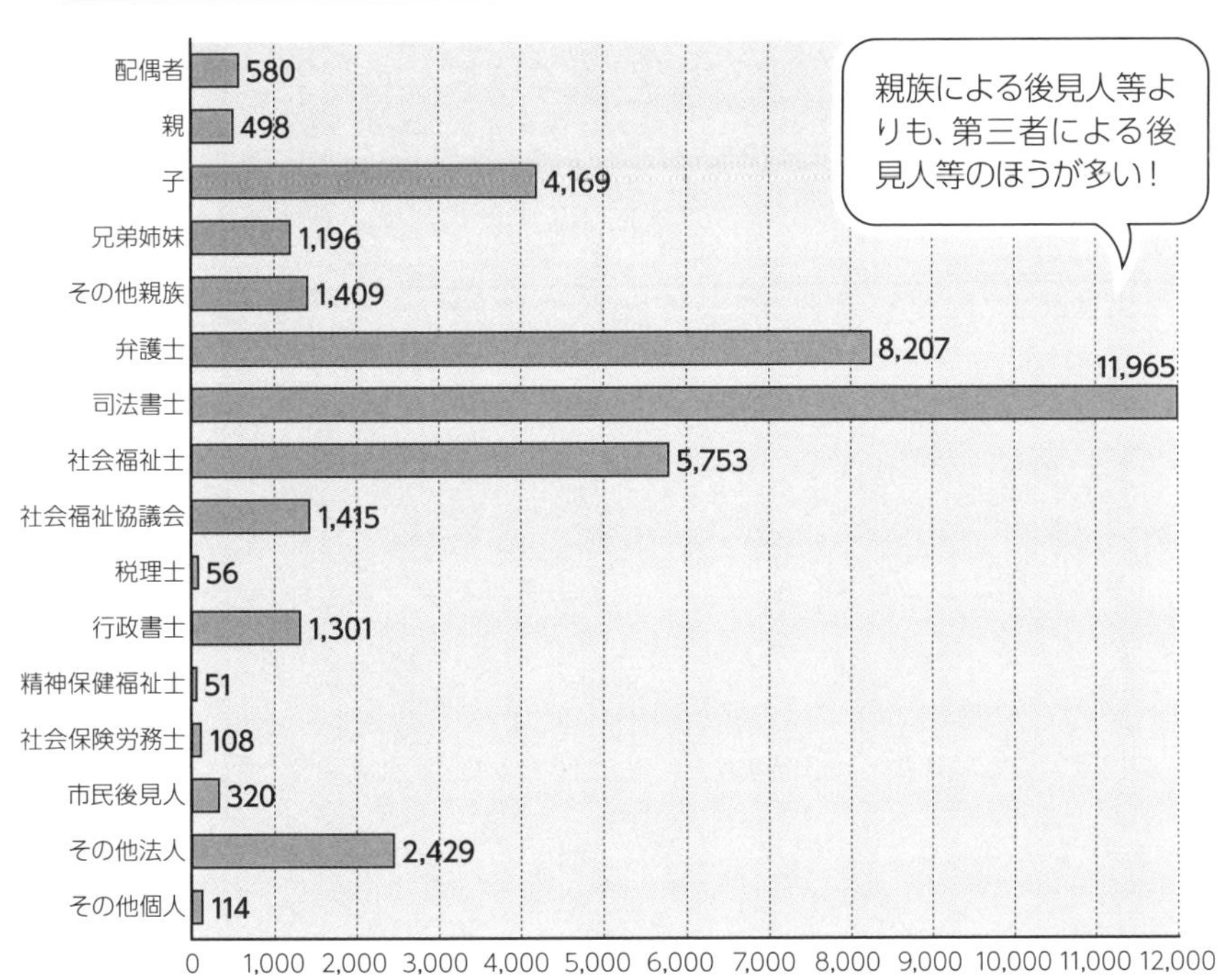

配偶者、親、子、兄弟姉妹及びその他親族が成年後見人等に選任されたのは、**全体の約19.8%**です。親族以外の第三者が成年後見人等に選任されたものは、全体の約80.2%で、親族が成年後見人等に選任されたものを大幅に上回ります。

親族以外の第三者の成年後見人等で多いものは…

弁護士	8,207件（前年は7,733件）
司法書士	11,965件（前年は11,187件）
社会福祉士	5,753件（前年は5,438件）

続いて、その他法人（NPO法人など）や社会福祉協議会、行政書士、市民後見人などが担い手になっている

出典：「成年後見関係事件の概況 – 令和3年1月～12月 –」最高裁判所事務総局家庭局

9

後見人って誰でもなれるの？

後見人の欠格事由／後見の終了

本人と利害関係がある人はなれない

前項で、後見人になるのに特別な資格は必要ないとお伝えしましたが、「**欠格事由**」といって、後見人になることができない人が法律で定められています。たとえば、次のような人です。

・未成年の人
・家庭裁判所に解任された後見人等
・破産した人（破産手続きが開始されていても、すでに裁判所で免責許可決定を受けていれば該当しない）
・本人に対して訴訟をした人、その配偶者や親子
・行方不明者
・（任意後見人の場合）不正行為や著しい不行、その他任意後見人の任務に適しない理由がある人

これらは後見人にはなれず、また、後見人になった後で右記に該当する状態になった場合も**後見人ではなくなります**。

また、家庭裁判所は後見人を選任するにあたって、本人の心身の状態・生活状況・財産状況、後見人候補者の職業・経歴、本人との利害関係の有無、本人の意見、その他一切の事情を考慮しなければならないとされています。とくに注意が必要なのは「**利害関係**」という部分です。

本人のことをよく知るケアマネジャーや施設の職員などに、後見人になってほしいという人もいます。しかし、ケアマネジャーや施設職員は、本人が利用する介護サービスの会社などに所属しています。たとえば介護スタッフのミスで本人にケガをさせてしまったという場合、後見人は本人の代わりに施設側に補償や改善を求めることになりますが、施設職員が後見人を兼ねていると、本人のために行動できないおそれがあるのです。そのため、**本人を支援している関係者などは**

後見人には選ばれません。

利害関係は親族間でも生じる場合があります。たとえば夫の遺産を相続する本人に、同じく遺産を相続する立場の子どもが後見人としてつくと、相続人としての立場が重なってしまいます。このような場合は、第三者の後見人がつくか、後見監督人をつけることが多いです。親族が後見人になった後でこうした相続が発生した場合、監督人がついていなければ、後見人が家庭裁判所に対して**「特別代理人」**を選んでもらう手続きをしなければなりません。特別代理人は、その件についてのみ、本人の代わりとなります。

ちなみに、一度後見人がつくと、**本人が亡くなるまで後見活動は継続**されます。たとえば施設入所や定期預金の解約、相続の手続きなど、後見人をつけるきっかけとなった問題が解決しても、後見人がいなくなるわけではないのです。**本人の判断能力が回復しない限り**、後見人がついている状況は変わりません。

市民後見人って何？

最近は、専門職後見人の不足や、より身近な立場での後見活動の必要性から、「**市民後見**」という**社会貢献型の後見人**の養成も始まっています。自治体により研修課程や試験内容が決められ、実習なども経て後見人になります。市民個人が後見人になるもの、社会福祉協議会などの法人後見の一員として後見活動に関わるもの、報酬を求めないもの、求めることを妨げないものなど様々なタイプがあります。

市民後見人には家族でも専門家でもない、**身近な地域福祉の担い手**として、きめ細かい後見活動が期待される一方、適切な後見活動をおこなうために、**市民後見人を支えるしくみ作り**も課題となっています。

成年後見の注意点

10 成年後見にデメリットはないの？

成年後見も万能ではない

成年後見は決して万能な制度ではなく、場合によっては、**後見人をつけないほうがよかった……**ということもあります。

たとえば、**相続税対策**でアパートを建てる、高額な生命保険に入る、生前贈与をするなどの手続きは、後見人にもできません。後見人の仕事は、その人らしく安心・安全な生活を守ることであり、相続人に財産を多く残すことではないからです。積極的な投資や資産運用も、財産を減らすリスクがあるためできません。

こうした行為は、判断能力が低下すると、後見人の有無にかかわらずできなくなるので、本人が**しっかりしているうちに対策しておく**ことが必要です。認知症になる前に家族を受託者とする民事信託（P146）を利用し、発症後でも投資や相続税対策ができるようにしておく方法もあります。

また、後見は原則、本人が亡くなるまで継続します。つまり、専門職後見人や後見監督人がついたら、**報酬の支払いも一生続きます**。あらかじめ納得の上、制度を利用したいものです。一方で、家族が後見人になれば報酬はかかりませんが、後見人としての責任を負い続けることになり、**家庭裁判所や監督人への報告の手間や負担**も無視できません。

ちなみに、法定後見は判断能力が回復した場合に、審判を取り消す（後見制度を止める）ことができます（審判時より判断能力が回復した旨の診断書が必要）。また、原則的に法定後見より任意後見が優先されるので、任意後見監督人が選任されれば、法定後見が中断されることもあります。

今後は、必要な時のみ後見人をつけられるような、利用しやすい制度への改正が求められています。

成年後見の注意点

本人の役員報酬を継続したい

- 本人が**会社役員**の場合、成年後見人や保佐人がつくことでその地位が失われる
- 役員報酬を継続したい場合は、所定の手続きを踏み、**再度役員に就任**する必要がある

相続税対策のためのアパート経営、生命保険加入、生前贈与、養子縁組がしたい

- 後見人の仕事は、相続人のために財産を多く残すことではない
- **相続税対策**のために、新たにアパート経営を始めたり、高額な生命保険に入ったり、生前贈与をしたりすることはできない。養子縁組についても後見人にはできない
- 成年後見を利用しない場合でも、判断能力が低下した後はこれらの行為はできなくなる
- **判断能力があるうち**に相続税対策をしておくことが必要

投資や投機的商品の購入など積極的な資産運用をしたい

- 後見人は、本人のために使うこと以外で、本人の財産を減らしてはならないため、財産が減るリスクのある**投資**や**投機的商品の購入**といった積極的な資産運用はできない
- 希望する場合は、相続税対策と同様、判断能力が低下する前にやっておく

死亡前に家族に贈与したい

- 子や孫への生前贈与、家族以外への財産の譲渡や多額の寄付は、本人の財産を減らすことになるので、原則、後見人が**贈与**をおこなうことはできない
- もともと生計を同じくしていた家族のための生活費の支出や、常識の範囲内での香典や祝儀は、本人の生活を左右しない限り問題ないとされることが多い

親族以外の後見人がつくのは嫌だ

- 専門家が後見人になった場合の後見報酬や心情的な理由から、親族に後見人になってもらいたいと希望する人もいる
- 法定後見では希望がかなわないこともある（近年、親族が後見人に選ばれないケースが増えている）が、判断能力があるうちに**任意後見契約**をすれば、確実に親族を後見人にできる（ただし、任意後見監督人はつく）

成年後見の利用が進まないのはなぜ？

成年後見が必要とされる人の数が年々増加する一方で、**制度利用率は数%程度にとどまっている**といわれます。親族の後見人が減る中で、専門職後見人の数が不足しているといった事情もありますが、利用が進まない大きな原因の1つには、本人の手続きを**家族が代わりにやることで何とかなってしまっている**という実状もあるでしょう。

本来、「本人」がおこなうことが求められる、介護や医療現場での契約でも、家族がすることで支障なく進んでしまう現状があります。預金の引き出しも低額であれば、キャッシュカードと暗証番号で何とかしてしまうという話も聞きます。もちろん、本人と家族は違う人物。厳密には勝手に契約したり、お金を下ろすわけにはいきません。しかし、便宜上の措置とはいえ、家族がすることで困らないなら、わざわざ成年後見を利用しようと思わない人が多いのです。

ただし、こうした場合でも、定期預金の解約や多額の支払いなどがあれば後見人が必要ですし、**本人の希望よりも家族の考えが優先**されたり、**財産侵害などが起きる危険性**もあります。

また、成年後見の手続きは厳格で、その煩雑さも利用を妨げる一因でしょう（本人の人権を守るために必要なものですが）。そして、時折ニュースになる後見人による財産使い込み事件や「成年後見はお金持ちが使うもの」といった誤解なども相まって、「**難しくてよくわからないけど、面倒で怖そう**」というネガティブな印象が生じています。

一般の人にとって成年後見は、まだまだ馴染みのない制度。介護・医療関係者でも、知識・経験不足が否めません。とはいえ、本来なら適切な情報提供を受け、制度を利用すべきケースが、そのまま放置される状況は問題です（**任意後見と補助はとくに利用が少ない**といわれています）。これらを背景に、平成28年に成年後見制度利用促進法・円滑化法が施行されました。

ほとんどの後見人は不正も間違いもなく後見活動をし、本人の安心・安全な生活を支えています。成年後見制度は、正しく知って利用すれば、本人のためになるものです。成年後見を必要とする本人や周囲の人へ適切に情報が行き届き、負担も少なく利用できるような支援のしくみが求められています。

2章

認知症の家族の生活を守る―法定後見

1 法定後見ってどういうもの？

代理権／取消権／同意権

後見人に与えられる3つの魔法

成年後見には、**法定後見**と**任意後見**（3章）がありますが、本章では法定後見を中心に説明します。まず、サポートを必要とする本人（**被後見人**）のために、家庭裁判所から後見人に与えられている法的権限を知ると、制度の概要がわかりやすくなります。後見人は、本人に代わって財産を管理し、契約や手続きをして生活を組み立てるために、「3つの魔法の力」ともいえる権限をもちます。

1つ目が「**代わり身の術**」（**代理権**）。本人に成り代わることができる、後見活動の中心となる魔法です。これを使えば、「本人確認」が厳しい銀行の窓口でも、本人が手続きする時と同じように、いくら預金を引き出しても、口座を解約しても、何も言われません。使い道を聞かれることさえないのです。また、住居や公共サービス、新聞やヨーグルトの定期購入、ホームヘルパーなどの契約をする際も、後見人は本人に代わってサインできます。かなり強力な魔法です。

2つ目は、「**巻き戻しの術**」（**取消権**）です。時間を巻き戻して過去に戻り、本人がしてしまった必要のない契約をなかったことにできる魔法です。契約の相手方にとっては一大事ですが、判断能力が低下した本人を被害から守るためには必要なことです。

3つ目が、「**二人三脚の術**」（**同意権**）。後見人との二人三脚でなければ、本人が動けないようにする魔法です。たとえば、他人からお金を借りる、誰かに財産を譲るといった重大行為をする場合に、判断能力の低下により、本人の決断が間違っていたり騙されていたりする可能性があります。この魔法があると、本人が単独でおこなった契約は有効にならず、後見人の同意が必要になります。また、後見人が同意しなければ、その契約は無効です。
後見人の法的権限は、ある意味、本人を「半人前」にしてしまうものでもあります。したがって、成年後見を利用するにあたっては、本人の判断能力に関する**客観的な証明**と**事前の手続き**が必要とされています。

法定後見で後見人等に与えられる法的権限

代理権（代わり身の術）
- 成年後見人等が本人（被後見人）に代わって契約などの行為をする権限
- 成年後見人等がした行為は、本人がした行為として扱われる
- 代理権は財産や生活の組み立てに関する法律行為に限定され、結婚・離婚などの身分行為や遺言の作成などは代理できない
- 成年後見では全面的に、保佐・補助では選択的に与えられる（P53）

取消権（巻き戻しの術）
- 本人がした法律行為が本人にとって不利益であると判断した場合に、取り消すことができる
- 日用品の購入その他日常生活に関する行為については取り消せない（身の回りのちょっとしたことについては本人の決定を尊重するため）
- 成年後見でのみ与えられる

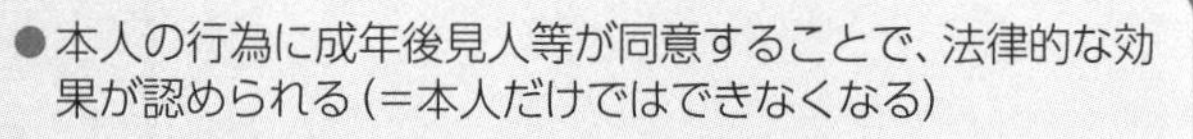

同意権（二人三脚の術）
- 本人の行為に成年後見人等が同意することで、法律的な効果が認められる（＝本人だけではできなくなる）
- 後見人等の同意を得ずにした契約は取り消せる
- 保佐、補助で選択的に与えられる（P53）

※これらの権限は、本人が生きている間のみ有効で、本人の死亡により消滅するとされている

本人を守るためとはいえ、行為を制限する強力な権限でもあるため、成年後見の利用にあたっては、本人の判断能力の低下を客観的に証明することや事前に様々な手続きをとることが必要です。後見人の法的権限が強いぶん、慎重な判断が求められます。

成年後見／保佐／補助

2 判断能力がどのくらい下がったら成年後見が必要？

法定後見の3つのレベル

判断能力の低下の度合いは人それぞれ違います。そのため、法定後見では判断能力の度合いを3段階に分け、「本人以外の介入を最小限にする」ことを原則としています。判断能力がほとんどなく、財産管理や生活の組み立てがひとりでは困難（意思疎通が難しい場合も含む）な場合は「**成年後見**」。判断能力が低下し、日常の買い物などはできても銀行取引や借金、不動産の売買など重要な行為にサポートが必要な場合は「**保佐**」。判断能力が残っていて、助言を受けながらであれば重要な法律行為についても意思表示や判断ができる場合は「**補助**」です。

後見人の呼び名もそれぞれ「成年後見人」「保佐人」「補助人」と変わり、与えられる法的権限の範囲も差があります。判断能力の度合いに関係なく一律に後見人等へ権限を与えてしまうと、まだできることがある人の権利を奪うことにつながるからです。

後見人等をつけるにあたっては、「成年後見」と「保佐」に**本人の同意（賛成の意思）は不要**。たとえ本人が嫌がったとしても、本人を守るために親族などが手続きをして、家庭裁判所に認められれば、後見人や保佐人をつけることができるのです（ただし保佐は注意が必要、左頁参照）。しかし、判断能力が残っている「補助」の場合は本人の同意が必要です。さらに、「成年後見」は本人の同意なしにほぼすべての代理権が与えられますが、「保佐」「補助」では一つ一つに本人の同意が必要となります。家庭裁判所での手続きで本人の意思を確認し、**必要最小限**の代理権しか与えられません（必要に応じ後から手続きし、追加することはできる）。

なお、「成年後見・保佐・補助」のどれに該当するかは、医師の**診断書を目安**に家庭裁判所が決定します。

法定後見の３つのレベル

		成年後見	保佐	補助
判断能力の状態（法律的な文言）		精神上の障害（認知症・知的障害・精神障害等）により事理を弁識する能力を**欠く常況**にある者	精神上の障害により事理を弁識する能力が**著しく不十分**である者	精神上の障害により事理を弁識する能力が**不十分**である者
申立人（手続きできる人）		本人、配偶者、４親等内の親族、成年後見人等、任意後見受任者、任意後見人、成年後見監督人、任意後見監督人、市区町村長、検察官等		
本人の同意		不要	不要	**必要**
同意権・取消権	付与の対象	日常生活に関する行為以外の行為 取消権が**自動的に**付与 →後見人が取り消せるようになる	民法13条１項*所定の行為 同意権が**自動的に**付与 →本人だけではできなくなる	民法13条１項*所定の行為から選択した行為（家庭裁判所が定めたもの） 別途申立て・同意が必要 →本人だけではできなくなる
代理権	付与の対象	財産管理・生活の組み立てに関するすべての法律行為 代理権が**自動的に**付与 →成年後見人が代わりにできるようになる	財産管理・生活の組み立てに関する法律行為の中から状況に合わせて選択した行為（家庭裁判所が定めたもの） 別途申立て・同意が必要 →保佐人が代わりにできるようになる	財産管理・生活の組み立てに関する法律行為の中から状況に合わせて選択した行為（家庭裁判所が定めたもの） 別途申立て・同意が必要 →補助人が代わりにできるようになる
	本人の同意	不要	**必要**	**必要**
責務	身上配慮義務	本人の心身の状態及び生活の状況に配慮する義務		

＊民法13条１項所定の行為とは…（重要な法律行為）
1 預貯金を払い戻すこと、利息付きでお金を貸すこと、貸したものを返してもらうこと
2 お金を借りること、保証をすること
3 土地・建物や高価な財産の売買や賃貸借をすること、抵当権を設定すること、証券取引・通信販売・訪問販売の契約をすること、クレジット契約をすること
4 訴訟を提起すること、取り下げること
5 贈与、和解または仲裁合意をすること
6 相続の承認や放棄をすること、遺産分割をすること
7 贈与や遺贈を拒否すること、負担付きの贈与や遺贈を受けること
8 新築、改築、増築または大きな修繕の契約をすること
9 5年以上の土地（山林の場合は10年）の賃貸借契約、3年以上の建物の賃貸借契約、6か月以上の動産の賃貸借契約などを締結すること　　など

保佐人は、本人の同意なしにつけることができますが、本人が同意しなければ代理権が与えられません。その結果、上記「重要な法律行為」が単独でできなくなるだけです。浪費や悪徳商法被害にあう場合を除いて、本人の代わりにできることがない保佐人は、あまり現実的ではないかもしれません。

3 後見制度の「財産管理」って何をするの？

後見人は「頭の分身」

「生活のサポート」といっても、食事や入浴の介助、掃除・洗濯などをするわけではありません。後見人の仕事は、介護や日々の買い物などしてくれる人を手配し、契約や支払いなどの**法律的な行為**を本人の代わりにすることです。その人が暮らしやすい環境を整えるために必要なことを考え、本人の代わりに手続きする――後見人は、本人の「低下した判断能力」を補う役割をする存在、つまり「**頭の分身**」なのです。

本人に代わって財産を守り、適切に使う

後見人の仕事は、大きく2つに分けられ、その1つが「**財産管理**」です。現実の生活において、先立つものはお金。衣食住はもちろん、介護や医療、あらゆるものにお金がかかります。だから、自身の財産を管理することはとても重要です。しかし、判断能力が低下すると、預貯金通帳などの保管場所を忘れてしまったり、不要な高額商品を購入したり、よくわからないまま借金の保証人欄に署名・押印してしまったり……と、以前は適切に対処していたことが十分にできなくなってしまうのです。

後見人は、本人の財産や収入を確認し、将来の収支バランスを考えながら、生活する上で必要な支払い手続きをし、財産管理をおこないます。通帳などの重要な証書や印鑑の保管、銀行での手続き、場合により不動産管理業者とのやりとりも本人に代わっておこないます。ただし、日常的な買い物などは本人自身ですることが可能です。「財産」というと、お金持ちの多額の資産を想像するかもしれませんが、適切に使っていくことは、**収入と支出のバランス**を考え、**資産の多い少ないにかかわらず**、生きていく上で必要なことです。

後見人がおこなう「財産管理」やその手続きの例

重要書類の保管	・通帳、定期預金証書、印鑑、登記識別情報(登記済権利証)、保険証書、年金手帳、各種書類の保管 ・請求書、領収証、振り込み控えなどの保管
財産の把握・管理	・郵便物や書類を通じた財産の把握　・必要に応じ、銀行などへの問い合わせ ・収入と支出を計算し、現在の収支管理と将来の計画の作成 ・銀行や証券会社、年金事務所などに後見人がついたことの届け出、後見人の印鑑の届け出 ・後見人自身の財産と区別するための名義の変更 ・必要に応じ、定期預金の解約や証券などの現金化
収入の受け取り	・年金の振り込み手続き、受け取り　・年金事務所での手続き、年度更新など ・高額療養費・高額介護サービス費などの還付金の手続き、受け取り ・入院保険などの保険金の受け取り手続き ・家賃収入や個人年金などの受け取り
支払い	・公共料金、介護サービス費用、医療費・入院費など様々な費用の支払い、振り込み ・自動引き落としの契約、手続き
本人が使うお金	・銀行から現金の引き出し、本人への引き渡し ・施設や買い物を頼むヘルパー等へ預ける
不動産の管理	・火災保険の手続き　・バリアフリー工事などの契約 ・庭の手入れや清掃の契約　・(自宅が賃貸の場合)賃貸借契約、更新 ・(自宅がマンションの場合)管理会社とのやりとり、管理料支払い ・(アパートなどを貸している場合)賃貸借契約や管理会社との契約、やりとり ・必要に応じ、売却や解約(自宅処分のための家庭裁判所での手続きなども)
税金	・固定資産税の納付　・所得税や住民税の申告・納付、非課税の申告
相続	・遺産の分け方の話し合い(遺産分割協議)への参加と本人の遺産の確保 ・名義変更や不動産の登記
記録・報告	・現金出納帳、収支報告書、収支計画書、財産目録などの作成と家庭裁判所への報告
その他	・生命保険、医療保険の更新、見直し、保険料の支払い ・限度額認定などの負担金額を減らす手続き ・墓地管理のための手続き、支払い
終了後の引き渡し	・本人死亡後、相続人への財産の引き渡し ・相続人がいない場合は相続財産管理人選任の手続きと財産の引き渡し

食品や生活用品などの日々の買い物は、後見人がついていても、本人がおこなうことができます。そのために後見人は銀行からお金を下ろし、本人に生活費として渡します。買い物ができない場合は、買い物代行のヘルパーなどを手配します。

4 後見制度の「生活の組み立て」って具体的には？

本人のより良い暮らしを組み立てる

どこで暮らし、何を食べ、どんな人や物に囲まれ、何を楽しみに生きるか——私たちの生活スタイルは、様々な選択と決定で作られていきます。

しかし、判断能力の低下によって、それが様変わりする場合があります。きれい好きな性格だったのに、部屋が不衛生でも気にしなくなったり、病気の治療が必要なのに病院に行こうとしなかったり……。場合によっては、本人の健康や安全に関わる問題となることもあります。

後見人のもう1つの仕事である「**生活の組み立て**」（**身上の保護**）は、身の回りのことを自分で決めるのが難しくなった人の住まい・医療・介護・食事・余暇・買い物など様々なことに関する選択と決定をサポートし（場合によっては本人の代わりに決定して）、生活環境を整える手配を進めることです。

「身の回りのこと」といっても、後見人は「頭の分身」ですから、本人が快適に暮らすために必要なものを選び、手続きするのが仕事。その人の心身の状態や生活を踏まえて、適した住居や施設を選んで契約したり、福祉サービスを検討して利用契約をしたり、受診した医療機関へ費用を支払ったりしますが、食事や入浴の**介助などを実際にするわけではありません**。ただし、家族が後見人だと、家族として食事や入浴のお世話をすることもあります。また、定期的に面会して本人の意思や生活状況を確認したり、住居や医療などの環境が適切か判断したりすることも重要な仕事です。

後見人の仕事は単なる「事務仕事」ではありません。その人の**思いをくみ取って**、その人らしい生活を実現するために、財産の管理と生活の組み立てをする、「人生設計とその実現」ともいえるでしょう。

後見人がおこなう「生活の組み立て」の例

本人を知る	・本人との面会、コミュニケーション、意思を引き出す関わり ・生活状況の把握と確認 ・本人の家族、介護・医療関係者からの情報収集と連携
住まい	・(借家の場合)賃貸借契約や家賃の支払い ・高齢者住宅や施設に関する情報収集 ・住まい探し、入居・入所手続き、契約、支払い ・電気・ガス・水道などの使用停止・開始手続き、支払い
医療	・受診結果や病状の把握、治療方針・治療法の確認と選択、費用の支払い ・医療機関に関する情報収集、選択・決定、受診や入院の手続き、契約 ・健康診断についての契約・手配 ・リハビリの手配や契約、状況の確認 ・精神科医療保護入院への同意(成年後見人・保佐人)
介護・福祉	・ケアマネジャーや相談支援事業所との契約 ・ヘルパーなどの介護・福祉サービスに関する情報収集、サービスの選択・決定、利用契約、支払い ・利用状況の把握と確認、ケアプランやサービス利用計画、個別支援計画などの確認 ・要介護認定や福祉サービス受給の手続き、障害者手帳の手続き
余暇活動や日常生活	・嗜好品などの購入契約、手配、支払い ・余暇活動に関する支払い、付き添いなどの介護の手配 ・本人が就労できる場合は雇用契約(本人の同意が必要)
関係者とのやりとり	・支援のキーパーソンとの打ち合わせ、情報交換、連携 ・本人の今後の生活を検討する関係者会議(カンファレンス)への参加 ・本人の自分らしく安心・安全な生活をかなえるための相談、調整 ・本人の気持ちや要望の代弁 ・必要に応じ、後見人として関係者への要望や改善の要求
報告	・後見事務計画書・報告書、経過に関する記録の作成 ・家庭裁判所への報告
その他	・上記の「生活の組み立て」に関する訴訟行為など

食事、入浴、着替えの介助、看病、部屋の掃除や日用品の買い物などのお世話は、後見人がおこなう「生活の組み立て」の対象とはなりません。ヘルパーなどの介護サービスの手配や、施設との契約など、環境を整えることが仕事です。

5 後見人には身元保証人や手術の同意も頼める？

後見人は身元保証人にはなれない

「3つの魔法の力」が与えられている後見人にも「できないこと」は色々あります。その1つが、**身元保証人や身元引受人**になることです。ただし、これは第三者が後見人についた場合の話で、親族が後見人である場合は「親族」という立場で身元保証人や身元引受人になれます。

第三者の後見人にはできないとはいえ、入院、施設や高齢者住宅への入所・入居の際には、身元保証人や身元引受人の連絡先や署名を求められることがほとんど。この場合、後見人（第三者）はまず、本人の親族に連絡を取って身元保証人・引受人になってもらいます。親族がいない、あるいは親族との関係が悪く断られた場合は、病院や施設と相談（交渉）します。

病院や施設が身元保証人や身元引受人を求めるのは、本人の料金未払いや、退院・退所時、本人の死亡時に、連絡を取る相手がいなくなる事態を避けるため。しかし、後見人がついていれば、**料金の支払い**や**退院・退所への対応**（次の病院や施設への転院・転所手続きなど）、**死亡時の対応**でも問題ありません。その点を病院や施設側に理解してもらえれば、身元保証人や身元引受人がいなくても、入院・入所の手続きを進めることはできます。

たとえば、身元保証サービスをおこなう団体もあります（内容は様々）し、病院や施設にも様々な選択肢がありますから、治療が必要なのに入院できない、自宅で暮らせない状態なのに施設に入所できず放置されるといったことは、実際にはありません。

後見人による手術への同意は法的効力なし

手術が必要な場合は、必ず事前に担当医から詳しい説明を受け、リスクや副作用も踏まえた上で手術に同意することが求められます。通常は本人が同意書にサインをしますが、判断能力の低下で説明を理解したりサインしたりできない場合、後見人が同意を求められることがあります。しかし、後見人がサインをしても法的効力をもちません。というのも、手術は**身体を傷つける行為**（医的侵襲行為）であるため、本人以外にその判断を任せることはできないとされているからです。本人の判断能力が低下している場合や、判断能力はあっても意思表示できない場合は、「医師が専門家として決断する」という方法しかないのが現状です。

医療行為に関する同意を求められたら、親族でない後見人は親族に連絡します。親族の同意を得ることが難しい場合は、後見人が医療行為に関して同意することはできない旨を医師に説明し、その判断を仰ぎます。後見人は本人のために調整するので、同意する人がいないせいで、**必要な手術が受けられないということはありません**。

なお、本人の病状や治療方針を知るために、医師から説明を受けることは、後見人の大事な仕事です。

ちなみに、後見人は予防接種法の「保護者」に位置付けられています。本人の意向が第一なのは言うまでもありませんが、成年後見人の署名で接種を受けることもできます。

後見人は「頭の分身」

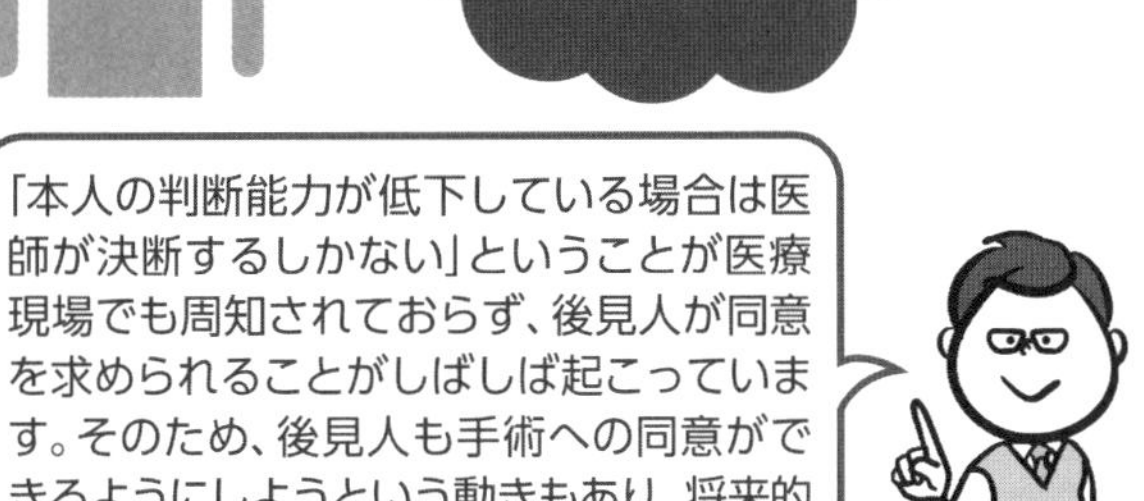

後見人がサポートするのはこの部分。本人に代わって考え、判断し、手配する
自分には、どんな治療法や介護サービスが必要かな？
「本人の判断能力が低下している場合は医師が決断するしかない」ということが医療現場でも周知されておらず、後見人が同意を求められることがしばしば起こっています。そのため、後見人も手術への同意ができるようにしようという動きもあり、将来的には変わるかもしれません。

6 後見人はどう決まる？ 決定までの期間は？

後見人決定までの期間は3か月～半年

判断能力が低下したとはいえ、一個人の財産や生活を左右する権限をもつ後見人。その決定は、いくつもの手続きを踏んで、慎重におこなわれます。当然、時間もかかります。**今日、電話で頼んだら明日には後見人がやってくる、というものではない**のです。

たとえば、最近、親の認知症が進んで金銭管理が心配になってきたという場合、まずは地域包括支援センターや社会福祉協議会の後見センターなどに相談し（P62）、制度の概要や手続き方法を教えてもらいます。

次に、家庭裁判所に対して手続きをする人（**申立人**）を決め、必要な書類をそろえます。書類の作成や取り寄せ、申立て手続きは専門家に頼むこともできますが、申立人として親族の関わりが必要です（例外あり、P65）。提出書類のうち、本人の判断能力を証明する**診断書**は医師が作成するので、主治医などに依頼します。この段階で、成年後見・保佐・補助のうち、どのレベルで手続きをするかが決まります。

書類の準備と並行して進めるのが、後見人の**候補者**探し。候補者がいなければ申立てできないわけではありませんが、裁判所から候補者を探すように言われることも多く、その段階で探し始めると後見開始までの時間が余計にかかってしまいます。

準備が整ったら、**家庭裁判所に申立てをする日時を予約**（先に書類を送付するケースが多い）。申立人、候補者、本人（保佐と補助の場合のみ）の日程を合わせて1回ですませるのが効率的です。時期や裁判所によっても異なりますが、2週間～1か月くらい先になることもあります。

申立てでは、家庭裁判所に出向いて事情説明。窓口や相談室などで担当者から提出書類をもとに色々と聞かれます。特別な事情があれば、家庭裁判所の人に来てもらえないか相談することも可能です。

申立て後、家庭裁判所の中で資料に基づく審理がおこなわれ、必要があれば**「鑑定」**（判断能力について診断書よりも詳しい内容が求められる場合）をして、後見人が決定します。申立てから1～2か月で結果が出るケースが多いです。結果に不服がある場合は、「後見（保佐・補助）開始の審判」という審判書を受け取ってから2週間以内に不服申立てをします。ただし、**「希望した人が後見人にならなかった」という理由で不服申立てをすることはできません**。この不服申立期間中は、後見人はまだ活動を始められません。

2週間がたったら、正式に後見人の就任が決定。後見人が銀行や役所、施設等に対して、本人のための様々な手続きができるようになります。最初に相談してから後見人が動きだすまで、3か月から半年ほどかかることが多いです。

後見人が決定するまでの流れ

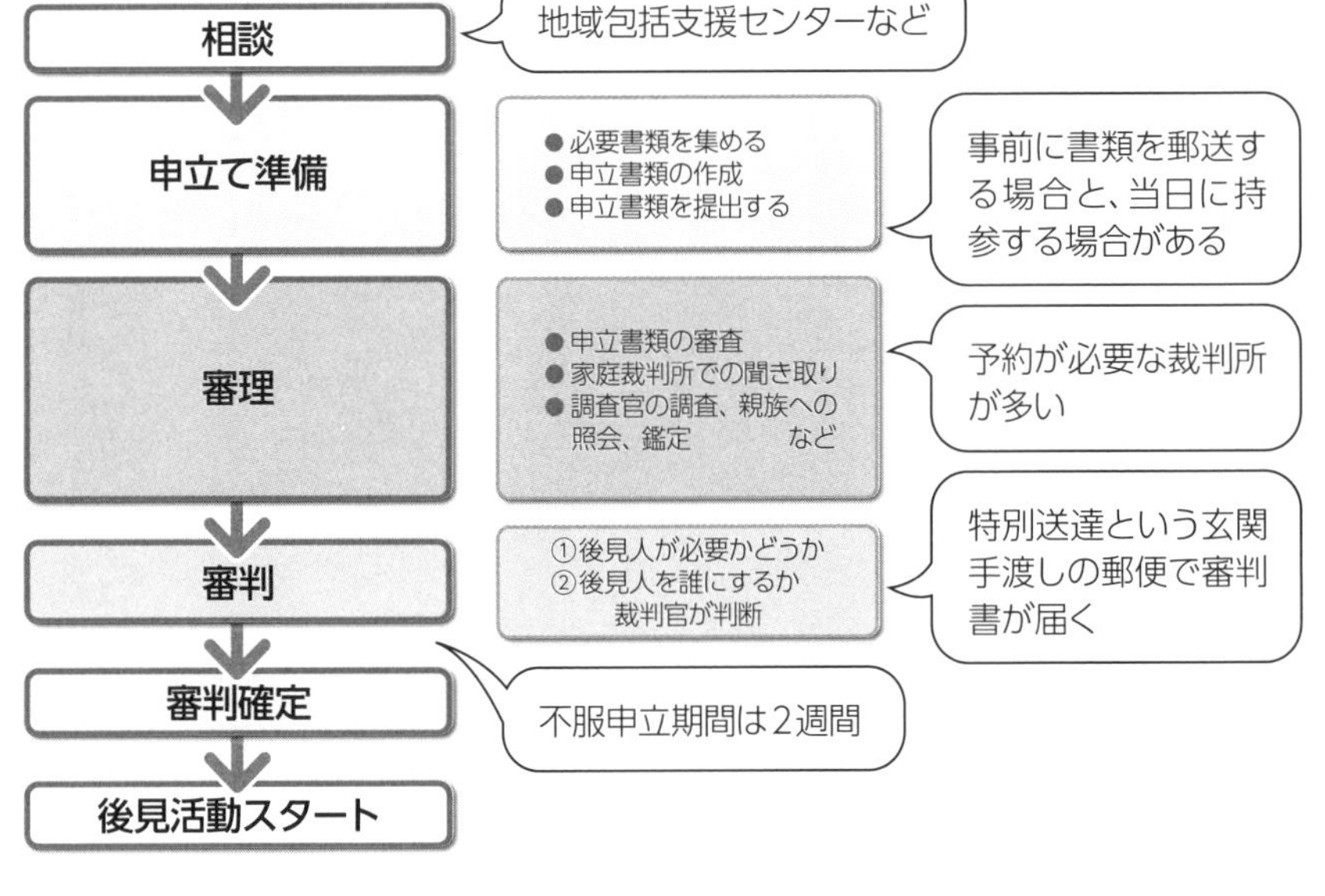

7 成年後見について、どこで相談できる？

あなたが最初にすることは「相談」

「身近な人に介護が必要になって認知症の心配も出てきた」「銀行で後見人がいないと親の預金を下ろせないと言われた」「自分の老後について準備しておきたい」——様々なきっかけで成年後見の利用を考えた時、どこで相談すればよいでしょうか。

成年後見に関する相談窓口として身近なのは、地域における最初の介護相談窓口となる**地域包括支援センター**です。市町村等が設置している、高齢者の暮らしや介護をサポートする公的機関です（運営は民間の法人に委託されている場合も多い）。社会福祉士・保健師・主任ケアマネジャーなどの専門職員が在籍し、成年後見については**社会福祉士**が相談に対応します。職員が不在の場合もあるので、電話予約してから行くのがおすすめです。出向くのが難しい場合は、自宅や施設・病院へ訪問してもらうこともできます。

社会福祉協議会でも相談可能。都道府県や市区町村の単位で設置される機関で、「あんしんセンター」「後見センター」「権利擁護センター」といった呼称の窓口もあります。民間の社会福祉法人ですが、役所から受託する仕事も多く、公的な側面ももつ組織です。中核機関と呼ばれる、成年後見に関する専門機関の整備も始まっています。

また、「**法テラス**」の名称で知られる「日本司法支援センター」でも、成年後見に関する情報提供や費用の立て替え（資産・収入要件あり）などをしています。

この他、弁護士・司法書士・社会福祉士など成年後見に関わる**専門団体**でも相談が可能。成年後見をテーマとした無料相談会や講演会の開催も増えているので、そうした機会を利用するのも方法の1つです。施設や病院の相談員に相談窓口を尋ねてもいいでしょう。

「成年後見」に関する相談窓口（詳細はP94）

- 地域包括支援センター、基幹相談支援センター
- 社会福祉協議会、後見センター、あんしんセンター、権利擁護センター、推進センターなど（中核機関も含む）
- 法テラス
- 弁護士・司法書士・社会福祉士などの専門団体
- 専門職の事務所やNPO法人等の民間団体
- 社会福祉協議会や自治体、民間団体などが開催する相談会や講演会

成年後見の相談をする際の注意点

□ **成年後見の専門家に相談する**

知り合いの弁護士や以前お世話になった専門職に相談……というケースも多いが、相手が成年後見について詳しい専門家かどうかはわからない。P94にある相談窓口に行くのが確実。本書を持参し「ここに書いてあったから来ました」と言えば、真剣に対応してくれるはず。

□ **電話等で予約をしてから窓口に行く**

いきなり窓口へ行っても、成年後見に詳しい担当者が不在の場合もあり、事前予約の電話で簡単に事情を伝えておけば、より内容の濃い相談ができる。まずは「成年後見について、相談の予約をしたいのですが…」と電話する。電話相談もできるが、実際に会って細かい事情を伝えて具体的なアドバイスをもらったほうがよい。パンフレットなどがもらえる場合も多い。

□ **講演会や書籍だけでなく個別相談をする**

書籍や講演会で制度の概要や色々な事例を知ることも有効だが、あくまでも一般的な話になってしまう。だから、「自分の親のための後見」「自分のための後見」について個別に相談することが非常に重要。成年後見に詳しい相談員であれば、しっかりと事情を聞き取り、実情にそった成年後見の活用法をアドバイスしてくれる。

□ **どこに相談に行けばよいかわからない場合**

ケアマネジャーや支援員、施設や病院の相談員などに本書を見せ、「私はどこに相談に行けばいいですか?」と尋ねれば、具体的な場所などを教えてくれる。

個別の事情に合わせて説明ができない相談員は、おそらく経験が足りません。そのような担当者を避け、「適当なことは言えないな」と気を引き締めてもらうためにも、本書を持参するのは有効です。もし、説明を受けてもよくわからない、満足できないという場合は、他の窓口にも相談してみましょう。

申立人

8 申立ての手続きは誰がするの？

原則は親族が手続きをする

家庭裁判所に対し、判断能力が低下した人に後見人をつけてもらうための手続きをすることを「後見（保佐・補助）開始の審判の申立て」といいます。判断能力が低下した人の後見（保佐・補助）を始める決定をしてくださいというもので、後見人もセットで選ばれます。

この手続きをする人を「**申立人**」といいますが、申立人になれるのは、「4親等内の親族」など法律で決められた人に限られます。具体的には、本人の親、子、孫、きょうだい、甥、姪、いとこなど。もちろん配偶者もなれます。最高裁判所事務総局家庭局の「成年後見関係事件の概況令和3年」によると、**子**が全体の約21%を占め、**きょうだい**が約11%、**配偶者**が約5%の割合です。

本人が自分の申立人になることもできます（令和3年で約21%）。保佐や補助の場合は、判断能力が完全には低下していませんから、制度をきちんと理解し、今後に不安があるから自分に後見人をつけたいと希望する方もいます。

申立ての手続きでは、様々な書類をそろえ、作成する必要がありますが、「やり方がわからない」「仕事が忙しくて時間がとれない」という親族も多いです。本人申立ての場合は、さらに難しいでしょう。申立て手続きや書類の作成・取得は**専門家に依頼もできます**。

たとえば、弁護士は代理人として申立て手続きができるので、書類の作成・取得から家庭裁判所での手続きまで全面的に任せられます。司法書士は、手続きの代理はできませんが、書類の作成や取得をしてくれます。申立ての日にも書類作成者として同席してくれることが多いです。専門家に手続きを依頼した際の費用は、申立人が負担。**本人の財産からの支出はできないので注意**してください。また、その他の専門家や各種団体、公的機関などでも相談はできます（書類作成の依頼はできない）。

本人に親族がいない場合や、いても親族の協力が得られない（申立人になってくれない）場合は、やむを得ず、**役所が代わりに**家庭裁判所に手続きをおこないます。「**市区町村長申立て**」と呼ばれるケースです（令和3年で約23%）。成年後見への取り組みは役所によって多少違いますが、役所内部での決裁などに比較的時間がかかるといわれています。

4親等内の親族

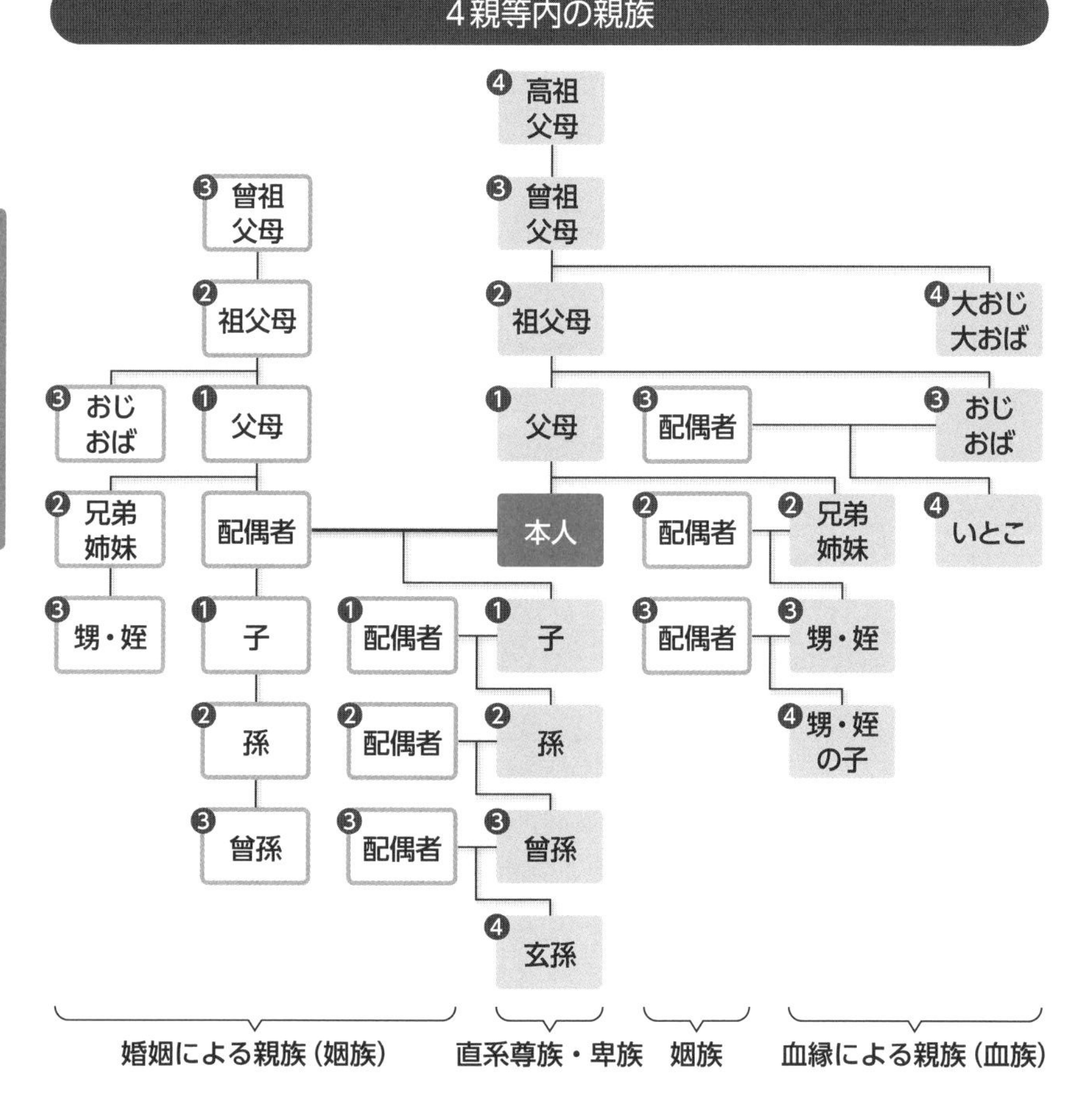

9 申立てではどんな書類を用意するの？

本人の住所地の家庭裁判所の様式で提出

申立て手続きは、本人の住民票住所を管轄する家庭裁判所でおこないます。書類は基本的に全国統一の書式ですが、相談も兼ねて、手続きをする家庭裁判所や地元の相談機関などで必要書類一式を入手しましょう。

まず必要なのが、成年後見の手続き用の**「診断書」**。判断能力の低下を証明し、成年後見・保佐・補助のどのレベルに当てはまるのかを明らかにするものです。診断書作成は健康保険の適用がありません。診断書を書いてもらうための**「本人情報シート」**もあります。

「申立書」「申立事情説明書」は、後見人をつけるにあたって様々な事情を説明するもので、申立人が作成します。後見人の候補者がいる場合は申立書に記載。本人名義の財産、本人が相続する予定の財産（すでに対象となる被相続人が亡くなっている場合）を一覧表にした**「財産目録」**も作成。銀行口座、証券、保険、不動産などに加え、借金やローンなどの負債も記載します。また、年金や還付金などの収入と、医療費や介護サービス費、生活費などの支出の予定をまとめた**「収支予定表」**も作成し、財産や収支を証明する資料も添付します（不動産の登記事項証明書、通帳、証書、通知書、領収証のコピーなど）。

申立ての際は、本人に後見人がつくことを、本人の親族（推定相続人・法定相続人、P139）に事前に確認します。親族の同意が得られていることがわかると手続きもスムーズなので、なるべく**「親族の意見書」**を書いてもらいます。親族と連絡がつかない、同意が得られないなどの場合は意見書なしで手続きをしますが、家庭裁判所からその親族へ連絡が行きます。なお、親族の同意が得られなくても、家庭裁判所が必要と判断すれば後見人はつきます。

役所で入手する書類もあります。本人の「戸籍謄本」（戸籍の全部事項証明書）や「住民票」、後見人候補者がいる場合はその人の住民票も必要。そして、本人に後見人がついていないことを証明するために、**「登記されていないことの証明書」**を法務局で取得します。

家庭裁判所によっては、障害者手帳やその他の書類が必要な場合があります。必ず本人の住所地を管轄する家庭裁判所や専門機関に問い合わせて確認してください。また、これらの書類の取得・作成を専門家に依頼することもできます。

後見人の申立て手続きに必要な主な書類（例）

書類	入手先	備考
診断書（成年後見制度用）	相談機関でもらうか、家庭裁判所のホームページからダウンロード	• **かかりつけ医**などに記入を依頼 • 手続き準備の初期段階でやる場合が多い • 申立時より3か月以内のものが基本 • 費用の目安は5,000～1万円
本人情報シート	介護・福祉関係者、支援センター等	• 介護・福祉関係者や支援センター等の相談窓口で作成を依頼 • **診断書作成を依頼する際に医療機関に渡す** • そのコピーを申立時に提出する家庭裁判所も多い
申立書など	相談機関でもらうか、家庭裁判所のホームページからダウンロード	• 事実関係や**事情を説明**する書類 • 保佐の場合は代理行為目録、補助の場合は同意行為目録・代理行為目録もある • 申立人が記入・作成する
本人の戸籍謄本	本人の本籍地の市区町村役場	• 費用は450円程度
本人の住民票	本人の住民登録地の市区町村役場	• 費用は200～300円
後見人等候補者の住民票	候補者の住民登録地の市区町村役場	• 候補者が取得する • 費用は200～300円
登記されていないことの証明書	後見登記を取り扱う全国の法務局・地方法務局でもらうか、郵送の場合は東京法務局	• 現在、本人に**後見人がついていないことを証明する**書類 • 費用は300円
財産目録、収支予定表	相談機関でもらうか、家庭裁判所のホームページからダウンロード	• **財産**（預貯金、有価証券、保険、不動産、借金など）の明細や**収支**（年金、還付金、医療費、介護サービス費、施設費用、生活費、税金など）をまとめた書類 • わかる範囲で申立人が記入・作成する
財産目録を証明する資料	銀行、証券会社、法務局（不動産）、保険会社など	• 資料はすべてA4サイズでコピーをとって提出（通帳、証書、借金の明細などのコピー、不動産の登記事項証明書など）
収支を証明する資料	年金事務所、役所、介護サービス事業所、施設・病院など	• 資料はすべてA4サイズでコピーをとって提出（年金通知書、領収証など）
親族の意見書	相談機関でもらうか、家庭裁判所のホームページからダウンロード	• 本人に後見人をつけること、候補者が後見人になることへ同意する書類 • 本人の法定相続人に記入してもらう
親族関係図	相談機関でもらうか、家庭裁判所のホームページからダウンロード	• 本人を中心とした親族関係を表した図 • 申立人が記入・作成する
本人の健康状態に関する資料		• 認定がわかる介護保険証、障害者手帳など、普段使用しているものをA4サイズでコピー

申立書

記載例（後見開始） 【令和3年4月版】

申立後は，家庭裁判所の許可を得なければ申立てを取り下げることはできません。

※ 太わくの中だけ記載してください。
※ 該当する部分の□にレ点（チェック）を付してください。

受付印

（ ☑後見 □保佐 □補助 ）開始等申立書

※ 該当するいずれかの部分の□にレ点（チェック）を付してください。

※ 収入印紙（申立費用）をここに貼ってください。
後見又は保佐開始のときは，800円分
保佐又は補助開始＋代理権付与又は同意権付与のときは，1，600円分
保佐又は補助開始＋代理権付与＋同意権付与のときは，2，400円分
【注意】貼った収入印紙に押印・消印はしないでください。
収入印紙（登記費用）2，600円分はここに貼らないでください。

収入印紙（申立費用）	円
収入印紙（登記費用）	円
予納郵便切手	円

準口頭　　関連事件番号　　年（家　）第　　号

〇〇 家庭裁判所
〇〇 (支部)・出張所 御中
令和 〇 年 〇 月 〇 日

申立人又は同手続代理人の記名押印：**甲 野 花 子** ㊞

申立人	住所	〒000－0000 **〇〇県〇〇市〇〇町〇丁目〇番〇号** 電話 〇〇（〇〇〇〇）〇〇〇〇　携帯電話 〇〇〇（〇〇〇〇）〇〇〇〇
	ふりがな	こうの　はなこ
	氏名	**甲 野 花 子**　□大正 ☑昭和 □平成　〇年〇月〇日生（〇〇歳）
	本人との関係	□本人 ☑配偶者 □親 □子 □孫 □兄弟姉妹 □甥姪 □その他の親族（関係：　　）□市区町村長 □その他（　　）
手続代理人	住所（事務所等）	〒　－　※法令により裁判上の行為をすることができる代理人又は弁護士を記載してください。 電話（　）　ファクシミリ（　）
	氏名	
本人	本籍（国籍）	〇〇 都道府(県) **〇〇市〇〇町〇〇番地**
	住民票上の住所	☑申立人と同じ 〒　－

申立ての動機
※ 該当する部分の□にレ点（チェック）を付してください。
本人は， □ 預貯金等の管理・解約 □ 保険金受取 □ 不動産の管理・処分 □ 相続手続 □ 訴訟手続等 □ 介護保険契約 □ 身上保護（福祉施設入所契約等） □ その他（　　） の必要がある。
※ 上記申立ての理由及び動機について具体的な事情を記載してください。書ききれない場合

登記されていないことの証明書

登記されていないことの証明書

①氏　名		
②生年月日	明治 □ 大正 □ 昭和 □ 平成 □ または 西暦 □	年　　月　　日
③住　所	都道府県名	市区郡町村名
	丁目 大字 地番	
④本　籍 □ 国籍	都道府県名	市区郡町村名
	丁目 大字 地番（外国人は国籍を記入）	

上記の者について、後見登記等ファイルに成年被後見人、被保佐人、被補助人、任意後見契約の本人とする記録がないことを証明する。

令和○年○月○日

東京法務局　登記官　　○○○○　印

[証明書番号] XXXXXXXX

東京法務局後見登録課または全国の法務局・地方法務局（本局）の戸籍課の窓口に「登記されていないことの証明申請書」を提出して取得します。証明書申請の際、本人確認（代理申請の場合は代理人の本人確認）に関する書類（マイナンバーカードの表面、運転免許証、健康保険証、パスポートなど）の提示が必要。親族の場合は、4親等内を証明する戸籍謄本も必要です。郵送で申請する場合は、申請書に本人確認書類のコピーを同封します。

【令和3年4月版】(令和3年11月修正)

(別紙)
【保佐，補助用】

この目録は，後見開始の申立ての場合には提出する必要はありません。

代　理　行　為　目　録

※　下記の行為のうち，必要な代理行為に限り，該当する部分の□にチェック又は必要な事項を記載してください（包括的な代理権の付与は認められません。）。

※　内容は，本人の同意を踏まえた上で，最終的に家庭裁判所が判断します。

1　財産管理関係

(1)　不動産関係

□　①　本人の不動産に関する〔□ 売却　□ 担保権設定　□ 賃貸　□ 警備　□＿＿＿＿〕契約の締結，更新，変更及び解除

□　②　他人の不動産に関する〔□ 購入　□ 借地　□ 借家〕契約の締結，更新，変更及び解除

□　③　住居等の〔□ 新築　□ 増改築　□ 修繕（樹木の伐採等を含む。）　□ 解体　□ ＿＿＿＿〕に関する請負契約の締結，変更及び解除

□　④　本人又は他人の不動産内に存する本人の動産の処分

□　⑤　＿＿＿＿＿＿＿＿

(2)　預貯金等金融関係

□　①　預貯金及び出資金に関する金融機関等との一切の取引（解約（脱退）及び新規口座の開設を含む。）

※　一部の口座に限定した代理権の付与を求める場合には，③に記載してください。

□　②　預貯金及び出資金以外の本…
〔□ 貸金庫取引　□ 証券取…
□ ＿＿＿＿〕

☑　③　**別紙のとおり**

一部の口座に限定した代理権の付与を求める場合
別紙には、対象となる口座ごとに、銀行名、支店名、口座番号、口座種別、口座名義、取引の内容等を記載
（例）
預金に関する○○銀行○○支店の口座（口座番号○○○○○○○、口座種別○○、口座名義○○○○○○○○）との一切の取引（解約）（脱退）を含む）

(3)　保険に関する事項

□　①　保険契約の締結，変更及び解除

□　②　保険金及び賠償金の請求及び受領

(4)　その他

☑　①　以下の収入の受領及びこれに関する諸手続
〔☑ 家賃，地代　☑ 年金・障害手当・生活保護その他の社会保障給付
☑ 臨時給付金その他の公的給付　☑ 配当金　□ ＿＿＿＿〕

☑　②　以下の支出及びこれに関する諸手続
〔☑ 家賃，地代　☑ 公共料金　☑ 保険料　☑ ローンの返済金　☑ 管理費等
☑ 公租公課　□ ＿＿＿＿〕

□　③　情報通信（携帯電話，インターネット等）に関する契約の締結，変更，解除及び費用の支払

□　④　本人の負担している債務に関する弁済合意及び債務の弁済（そのための調査を含む。）

□　⑤　本人が現に有する債権の回収（そのための調査・交渉を含む。）

□　⑥　＿＿＿＿＿＿＿＿

同意行為目録

【令和３年４月版】

（別紙）

この目録は，後見開始の申立て，保佐開始の申立ての場合には提出する必要はありません。

【補助用】

同　意　行　為　目　録

（民法１３条１項各号所定の行為）

※　下記の行為（日用品の購入その他日常生活に関する行為を除く。）のうち，必要な同意行為に限り，該当する部分の□にチェックを付してください。

※　保佐の場合には，以下の１から１０までに記載の事項については，一律に同意権・取消権が付与されますので，同意権付与の申立てをする場合であっても本目録の作成は不要です。

※　内容は，本人の同意を踏まえた上で，最終的に家庭裁判所が判断します。

１　元本の領収又は利用（１号）のうち，以下の行為

- □　(1)　預貯金の払戻し
- □　(2)　債務弁済の受領
- □　(3)　金銭の利息付貸付け

２　借財又は保証（２号）のうち，以下の行為

- □　(1)　金銭消費貸借契約の締結
  - *※　貸付けについては１(3)又は３(7)を検討してください。*
- □　(2)　債務保証契約の締結

３　不動産その他重要な財産に関する権利の得喪を目的とする行為（３号）のうち，以下の行為

- □　(1)　本人の所有の土地又は建物の売却
- □　(2)　本人の所有の土地又は建物についての抵当権の設定
- □　(3)　贈与又は寄附行為
- □　(4)　商品取引又は証券取引
- ☑　(5)　通信販売（インターネット取引を含む。）又は訪問販売による契約の締結
- ☑　(6)　クレジット契約の締結
- □　(7)　金銭の無利息貸付け
- □　(8)　*その他　※　具体的に記載してください。*

____

４　□　訴訟行為（４号）

※　相手方の提起した訴え又は上訴に対して応訴するには同意を要しません。

５　□　贈与，和解又は仲裁合意（５号）

【令和3年4月版】

親　族　関　係　図

※ 申立人や成年後見人等候補者が本人と親族関係にある場合には，申立人や成年後見人等候補者について必ず記載 してください。

※ 本人の推定相続人その他の親族については，わかる範囲で記載してください。

（推定相続人とは，仮に本人が亡くなられた場合に相続人となる方々です。
具体的には，「親族の意見書について」の2をご参照ください。）

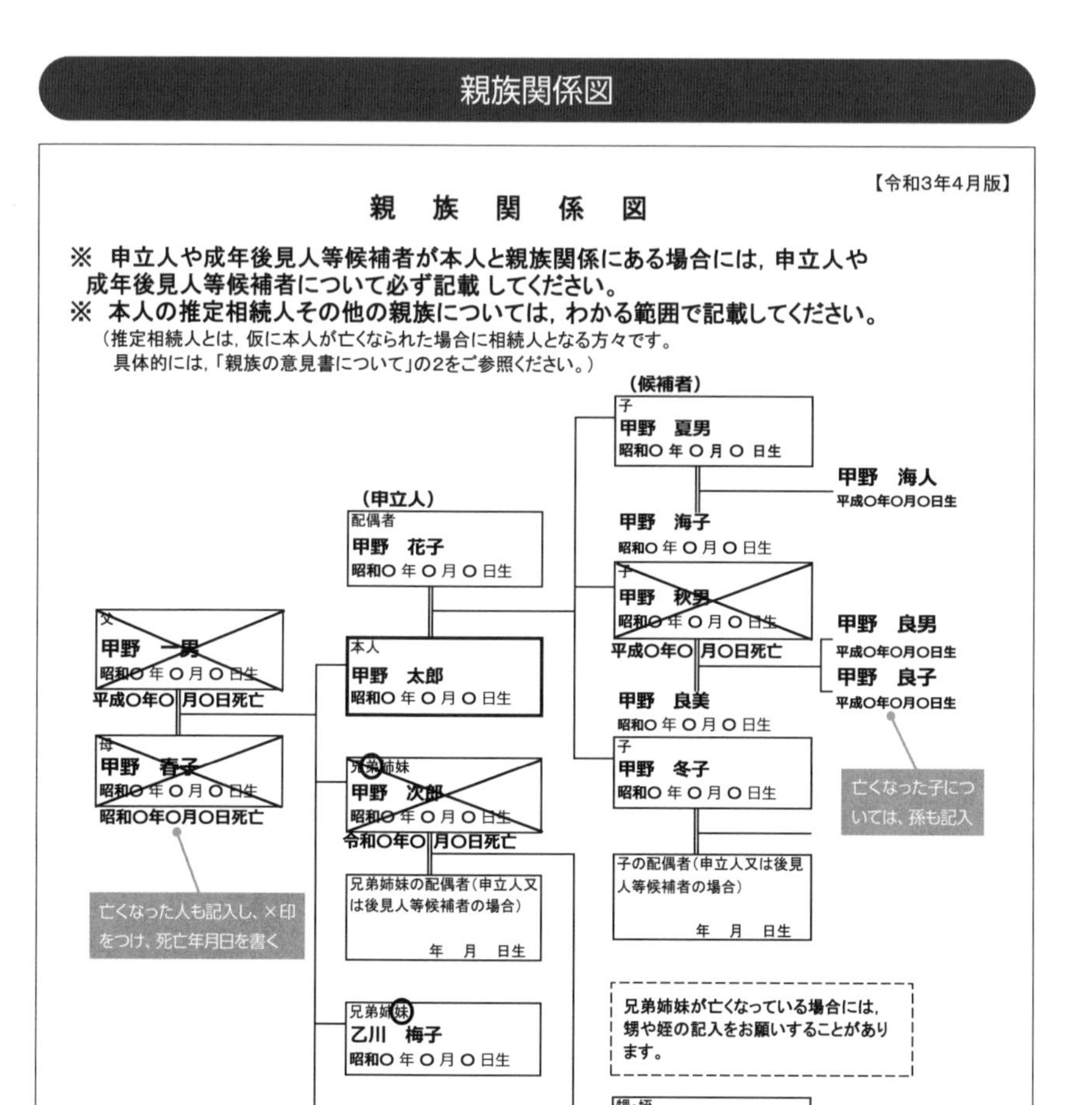

親族の意見書

親 族 の 意 見 書

1 私は，本人（ 氏名： 甲野 太郎 ）の（ 続柄： 長女 ）です。

2 本人について後見（保佐・補助）を開始することに関する私の意見は以下のとおりです。

☑ 賛成である。

☐ 家庭裁判所の判断に委ねる。

☐ 反対である。

【反対の理由】

☐ 後見（保佐・補助）を開始するほど判断能力は低下していない。

☐ 理由は次のとおりである。※ 書ききれない場合には別紙（A４サイズの用紙をご自分で準備してください。）を利用してください。

3 本人の成年後見人（保佐人・補助人）の選任に関する私の意見は以下のとおりです。

候補者（氏名： 甲野 夏男 ）が選任されることについて
（候補者がいない場合には，家庭裁判所が選ぶ第三者が選任されることについて）

※ 候補者氏名については申立人が記入してください。

☑ 賛成である。

☐ 家庭裁判所の判断に委ねる。

☐ 反対である。又は意見がある。

理由は次のとおりである。※ 書ききれない場合には別紙（A４サイズの用紙をご自分で準備してください。）を利用してください。

令和 ○ 年 ○ 月 ○ 日

（〒○○○－○○○○）

住 所 ○○県○○市○○町○○番○○号

氏 名 甲野 冬子 印

平日（午前９時～午後５時）の連絡先：電話 ○○○ （○○○○） ○○○○

（☑携帯 ☐自宅 ☐勤務先）

診断書

10 診断書の記入を頼む医師は？

かかりつけ医がいない場合は「物忘れ外来」へ

法定後見の申立てでは、医師の診断書で本人の判断能力の低下を証明する必要があります。そのため、診断書作成依頼は手続き準備の**最初に**おこないます。診療科は問われないので、なるべく**本人の判断能力について詳しく知る医師**に依頼します。かかりつけ医がいなければ、「物忘れ外来」や「認知症鑑別診断」などがある病院に問い合わせてみましょう。

診断書を書いてもらうには受診が必要ですが、医師も1回の診察で細かいところまではわかりません。検査結果が出るまで時間がかかることもあり、何度か受診することも多いです。

本人の状態を診断書に正しく反映させるためにも**「本人情報シート」**を活用します。本人情報シートは、介護・福祉関係者が専門的な視点から、判断能力に関する本人の状況や意思決定上の課題についてまとめた書面で、これを診断書作成の参考にしてもらうのです。

また、本人が「医者嫌い」などで受診を拒否すると、診断書を入手できません。手を変え品を変え受診を説得しても、うまくいかない場合もあります。

その場合は「認知症」という言葉は使わずに、「足や腰で痛いところはない？」「健康診断に行ってみない？」といった具合に、内科など心理的抵抗の少ない診療科を受診して診断書を書いてもらうか、他の病院を紹介してもらうことを検討します（事前の調整は欠かせません）。地域包括支援センターなどに事情を伝えて相談し、サポートしてもらうことも必要です。

また、**すべての医師が成年後見に関する知識をもっているわけではない**のが実情で、診断書の作成を断られることもあります。その場合は、他の病院にかかって書いてもらうというのも方法の1つです。

成年後見用の診断書の例

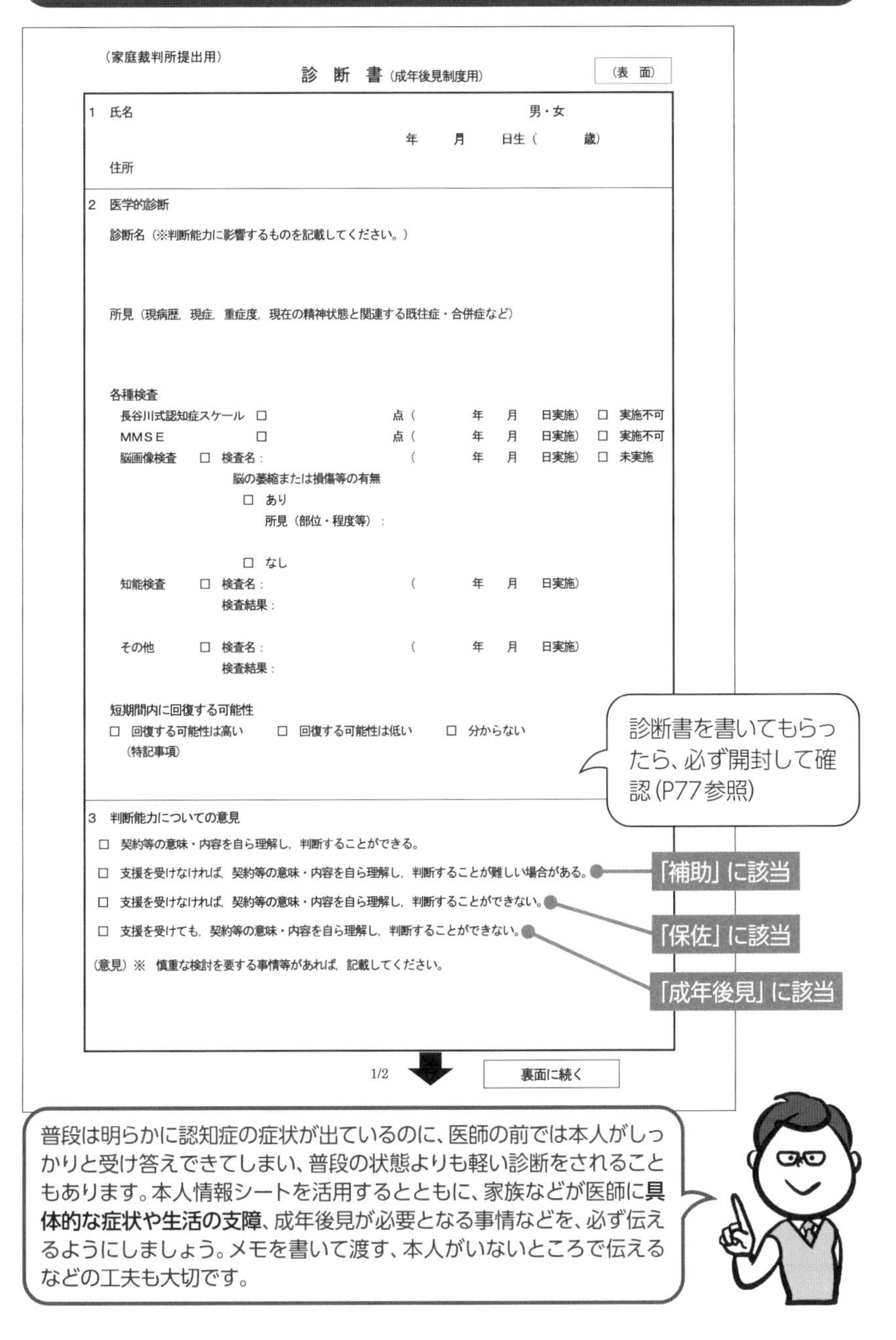
（家庭裁判所提出用）

診　断　書（成年後見制度用）　（表　面）

1　氏名　　男・女

年　月　日生（　歳）

住所

2　医学的診断

診断名（※判断能力に影響するものを記載してください。）

所見（現病歴，現症，重症度，現在の精神状態と関連する既往症・合併症など）

各種検査

長谷川式認知症スケール　□　点（　年　月　日実施）　□ 実施不可

MMSE　□　点（　年　月　日実施）　□ 実施不可

脳画像検査　□ 検査名：　（　年　月　日実施）　□ 未実施

脳の萎縮または損傷等の有無

□ あり

所見（部位・程度等）：

□ なし

知能検査　□ 検査名：　（　年　月　日実施）

検査結果：

その他　□ 検査名：　（　年　月　日実施）

検査結果：

短期間内に回復する可能性

□ 回復する可能性は高い　□ 回復する可能性は低い　□ 分からない

（特記事項）

3　判断能力についての意見

□ 契約等の意味・内容を自ら理解し，判断することができる。

□ 支援を受けなければ，契約等の意味・内容を自ら理解し，判断することが難しい場合がある。

□ 支援を受けなければ，契約等の意味・内容を自ら理解し，判断することができない。

□ 支援を受けても，契約等の意味・内容を自ら理解し，判断することができない。

（意見）※　慎重な検討を要する事情等があれば，記載してください。

1/2　裏面に続く

普段は明らかに認知症の症状が出ているのに、医師の前では本人がしっかりと受け答えできてしまい、普段の状態よりも軽い診断をされることもあります。本人情報シートを活用するとともに、家族などが医師に**具体的な症状や生活の支障**、成年後見が必要となる事情などを、必ず伝えるようにしましょう。メモを書いて渡す、本人がいないところで伝えるなどの工夫も大切です。

診断書付票

(東京家庭裁判所本庁・支部提出用)

診　断　書　付　票

1　家庭裁判所から鑑定の依頼があった場合，お引き受けいただけますか。

□引き受ける。

□引き受けられない。

□専門ではないから。　□その他(　　　　　　　　　　　)

□次の医師を紹介する。

お名前＿＿＿＿＿＿＿勤務先＿＿＿＿＿＿＿＿＿電話＿＿＿＿＿＿＿

2　以下は，鑑定をお引き受けいただける場合にお答えください。

(1) **書面による正式依頼を受けてから鑑定書を提出していただくまでの期間はどのくらいでしょうか。**

□2週間　□3週間　□4週間　□その他(＿＿週間)

(2) **鑑定料はいくらでお願いできますか。**

□3万円　□5万円　□7万円　□10万円　□その他(＿＿ 万円)

注:一般的に5万円から10万円程度でお引き受けいただいています。主治医の場合はできれば5万円程度でお願いできればと思います。

(3) **鑑定料の振込先**(振込口座番号は正式依頼の際に同封する請求書にお書きください。)

□個人(医師御本人)名義の口座

□法人(医療法人社(財)団○○会など)名義の口座

(4) **鑑定依頼書面の送付先**

□診断書記載のとおり

□その他(〒　　－　　　　　　　　　　　　　)

(5) **電話連絡先**

電話＿＿＿＿＿＿＿＿＿＿

(6) **「鑑定書作成の手引」の裁判所からの送付は必要ですか。**

□必要　□不要

注:「鑑定書作成の手引」は，最高裁判所ウェブサイト内の「後見ポータルサイト」からダウンロードすることができます (https://www.courts.go.jp/saiban/koukenp/)。

(令和３年１０月版)

鑑定の依頼は家庭裁判所がおこないます。会話ができないなど、本人の判断能力の低下が著しい場合、補助の申立ての場合は、省略されることが多いです(令和3年に鑑定を実施したものは、全体の約5.5%)。その他の場合では、診断書を依頼する際に、鑑定についても確認しておきます。引き受けてもらえない場合は、紹介先での受診が必要になることもあります。紹介もしてもらえない場合がまれにありますが、その際は地域包括支援センターや役所などに相談してみましょう。

診断書についてのQ&A

Q. 診断書には何が書いてあるの？

A. 成年後見用の診断書は、身体機能や内部疾患(がん、糖尿病など)ではなく、**「判断能力」について書かれたもの**です。

・判断能力の低下の原因である病気の名称や症状
・現在の判断能力はどの程度か(後見・保佐・補助のうちどれに該当するか)
・判定の根拠、鑑定依頼の可否、費用など

診断書には、**判断能力の程度**にチェックを入れる欄がありますが、これは手続きの際にどのレベルの形式で申立てをするかを決める際に使うものです。最終的に本人がどのレベルになるかは、診断書や(場合により)鑑定などを考慮して、家庭裁判所が決定します(申立て手続きの中で、後見・保佐・補助が変更される場合もあります)。

Q. 診断書は開けてしまっていいの？

A. 通常、診断書には封がされていて、受け取ったら開封せずに提出することが多いですが、**成年後見の診断書は必ず開封してください**。判断能力についてどのように判定されたのか(後見・保佐・補助)を確認しなければ、申立ての手続きが進められませんから(たとえば「保佐」なら「保佐開始の申立て」)。

Q. 診断書を確認したら、記入もれがあった

A. 診断名や所見、判断能力の判定など**重要な部分の記入漏れ**があった場合は、病院にその旨を連絡します。多くの場合、診断書を**再度医師に渡して追記してもらう**ことになります(申立て後に記入もれが判明した場合は、申立人から医師に依頼し診断書を再提出してもらうことが多いです)。

Q. 判断能力の程度はどこを見ればいいの？

A. 1ページ目の下に「3 判断能力の意見」という欄があり、以下の項目が判断能力の程度の目安となります(P75)。

Q. 診断書の内容に納得できない時にはどうしたらいい？

A. 本人の状況を把握している医師による診断書ならそれほど心配ないですが、記載内容を確認したら「実際よりも程度を軽く書かれている」「保佐かと思ったのに、後見と書いてある」といったこともあるでしょう。その場合は、**本人の状況を医師に正確に伝えたか**どうか振り返り、不十分だったと思われたら再度依頼しましょう。また、きちんと伝えたのに本人の状況が正確に書かれていない場合は、他の病院にかかってみるのも方法の１つです。

11

財産目録／収支報告書

本人の財産や収支状況はどう調べるの？

生活を知るためにも財産・収支を把握する

後見人をつけるにあたっては、本人の経済状況を明らかにする必要があります。その人がどのような財産をどのくらい持っているのか、借金などの債務はあるのかなどを把握した上で、どのような支援が必要か、どのような後見人が適しているかなどを判断するからです。収支をまとめていく中で、**本人がどんな生活を送っているのか**が見えてきますし、財産の内容によって今後の生活の選択肢も変わります。

また、現在の財産を明確にしておくことで、後見人の**不正を防ぐ**という目的もあります。第三者の後見人がついた場合に支払える報酬の目安もわかります。

本人がもともときちんとした方で、通帳や証書などを一式まとめて保管したり、しっかりしている時に家族などに保管場所を伝えたりしていれば、比較的スムーズに財産状況を把握できるでしょう。しかし、判断能力が低下すると、身の回りのことをきちんとするのが難しくなります。通帳や大事な書類をどこかにしまい込んで忘れたり、なくしたりすることもあります。本人に聞いてもすっかり忘れてしまっていて、家族が家中を大捜索……という話は珍しくありません。

財産目録や**収支報告書**を作成するためには、自宅を探し、郵便物などを調べて、できる限り財産を把握することが必要。役所からの通知や、利用している病院や介護サービスなどの領収証も欠かせません。

ただし、どうしてもわからないものは、後見人がついてから後見人に調べてもらえます。たとえば銀行などで、家族が問い合わせても教えてもらえない場合でも、後見人なら**「代わり身の術」**（代理権）によって本人と同じように照会できますし、紛失した通帳や証書の再発行等にも対応してもらえます。

財産目録の例

財産目録（令和○○年　○月　現在）

1　預貯金・現金

No.	金融機関の名称	支店名	□座種別	□座番号	最終確認日	残高(円)	管理者	資料
1	○○銀行		☑普□定□	10000-12345678	令和○年○月○日	1、468,422	申立人	☑
2	○○銀行	○○	☑普□定□	1234567	令和○年○月○日	749,860	同上	☑
3	○○銀行	○○	□普☑定□	2345678	令和○年○月○日	2,000,000	同上	☑
4	○○信託銀行	○○	□普☑定□	3456789	令和○年○月○日	5,000,000	同上	☑

4　不動産（土地）

No.	所　在	地　番	地　目	地積(m²)	備考(現状、持分等)	資料
1	○○市○○町○○丁目	○番○	宅地	134.56	自宅	☑
2	○○市○区○丁目	○番○	宅地	120.34	丁川四郎に賃貸中の建物No.2の敷地	☑

5　不動産（建物）

No.	所　在	家屋番号	種　類	床面積(m²)	備考(現状、持分等)	資料
1	○○市○○町○丁目○番地○	○番○の○	居　宅	1階　100.20 2階　90.50	自宅	☑
2	○○市○区○丁目○番地○	○番○	居　宅	1階　92.90 2階　60.20	丁川四郎に賃貸中	☑

収支予定表の例

1　本人の定期的な収入

No.	名称・支給者等	月　額(円)	入金先□座・頻度等	資料
1	厚生年金	150,000	2か月に1回 ☑財産目録預貯金No.1の口座に振り込み	☑
2	国民年金（老齢基礎年金）	60,000	2か月に1回 ☑財産目録預貯金No.1の口座に振り込み	☑
3	その他の年金（　　　）			□
4	生活保護等（　　　）			□
5	給与・役員報酬等			□
6	賃料収入（家賃，地代等）	80,000	丁川四郎から毎月 ☑財産目録預貯金No.1の口座に振り込み	☑
7	貸付金の返済	10,000	西山三郎から毎月 ☑財産目録預貯金No.1の口座に振り込み	☑
	収入の合計（月額）＝	300,000　円	年額（月額×12か月）＝　3,600,000　円	

2か月ごと、四半期ごと、1年に1回の収入などは月額に按分した金額を記載（割り切れない場合には、小数第1位を切り上げて記載）。支出の記載も同様

2　本人の定期的な支出

No.		品　目	月　額(円)	引落□座・頻度・支払方法等	資料
1	生活費	食費・日用品	10,000	現金払い	☑
2		電気・ガス・水道代等		□財産日録預貯金No.　の口座から自動引き落とし	□
3		通信費		□財産日録預貯金No.　の口座から自動引き落とし	□

12

緊急に保護や対応が必要な場合

緊急事態！ 家庭裁判所の審判まで待てない！

後見人がつくまでの対策を知っておく

成年後見のことなど考えもしなかった時に、**緊急事態が発生**し、すぐにでも後見人をつける必要が出てくることもあります。

たとえば、親が突然倒れて、緊急入院。病院や役所から子のところに連絡が来た……などという場合。法定後見の手続きをしても、後見人がすぐに決まるわけではありません。書類をそろえて、家庭裁判所の予約をして、審判を待つとなると、少なくとも数か月はかかります。親の自宅で通帳は見つけたけれど、カードも暗証番号もわからないのでお金を下ろせない。しかし、病院の支払いを待ってもらうのは難しい……。こうした時に、子が**一時的に立て替える**こともあるでしょう。

これは本人のための支出ですから、領収証を保管し、本人に後見人がついた後で請求すれば精算してもらえます。申立て手続きの際に、家庭裁判所にも計算書や領収証のコピーなどを提出しておくと、より安心です。ただし、領収証がないなど立て替えを証明できない場合、本人に一銭も財産がない場合などは精算できません。また、交通費は要相談、手間賃のようなものは、親族ですから認められないケースが多いです。

そして、判断能力が低下した人を狙った詐欺や悪徳商法もあります。親族がそうした被害にあっているとわかったら、**急いで本人の通帳などを確保**し、財産を守る必要があります。成年後見の申立て手続きをするのと同時に、後見人が選ばれるまでの間、本人の財産を管理する旨の処分を家庭裁判所に申し立てることもできます（**審判前の保全処分**）。この処分は事前に家庭裁判所と調整する場合もあるので、手続きの際は専門家に相談することをおすすめします。

後見人をつける手続きの途中でよく起きる困りごと

困りごと	対処法
本人が認知症診断を受けてくれない	・内科など**抵抗が少ない科**を受診（事前に医師と調整） ・かかりつけ医から紹介状をもらい「○○先生が言っているんだから」と説得 ・様々な診療科がある総合病院で神経科や精神科などを受診
医師が診断書を書いてくれない	・介護職を巻き込み、成年後見の必要性を医師へ伝える ・**ケアマネジャーや地域包括支援センターに相談**して、診断書を書いてくれる他の病院を受診
本人の通帳が見つからない	・冷蔵庫の中や床下、絨毯やマットの裏、天井裏、洋服の中、鞄の中、本人の腹巻きの中など、**家中をくまなく探す** ・**郵便物**を細かくチェック（銀行や郵便局、証券会社などから通知や案内が届いている可能性）
本人の預金が引き出せず、支払いができない	・家族が一時的に立て替えて、**領収証を保管**（後見人がついたら精算） ・成年後見の手続きを進めていることを伝え、支払先（病院や施設など）に一時的に待ってもらえないか交渉
詐欺被害に遭ってしまい、その後も狙われている	・**消費生活センター**などに連絡して対策をとる ・一刻も早く、通帳や印鑑、重要書類を家族が保管（これ以上の被害を防ぐため） ・**審判前の保全処分**の手続きを活用（家庭裁判所との調整が必要）
本人が後見人をつけることを拒否する	・成年後見レベルなら、本人を守るためにも、本人の同意なしで家族が手続きを進めることを検討 ・本人が**「困った」と自覚していること**（支援の必要性を感じていること）から関わり、成年後見へとつなげていく ・（保佐*・補助レベルの場合）地域包括支援センターに相談し、関わってもらいながら、本人の認知症が進んだ時にすぐに手続きできるようにしておく
手続きしてくれる家族がいない	・役所（市区町村）の申立てを検討する（親族がいない、親族が関わらない場合は、役所が申立てをすることになる） ・役所を動かすために、地域包括支援センターなどの関係者を巻き込み、カンファレンスなどで**「市区町村長申立ての必要性」**を訴える
信頼できる相談先がない	・**地域包括支援センター**に相談してみる ・「後見センター」や「あんしんセンター」などの社会福祉協議会、中核機関、専門団体に相談（P62、94）

＊保佐人をつけること自体には本人の同意は不要だが、代理権の付与には本人の同意が必要なため

13 後見人の資格による違いはある？

後見人に多い4資格

法定後見の後見人等の約8割を親族以外が占める現在、子どもが認知症の親の後見人になったり、姉が知的障害のある妹の後見人になるといった例は減少しています。逆に、たとえば親の後見人となった専門家と子がやりとりするなどのケースが増えています。

後見という業務の性質上、次の4資格の専門職後見人が多くなっています（司法統計より）。それぞれの得意分野などを簡単に紹介しましょう。

まず、法律の専門家である**弁護士**。裁判や交渉事、諸手続きの際に、依頼者の代わりに法律行為をすることができ、本人がトラブルに巻き込まれたり、相続などでもめたりした場合などは、心強い味方となります。被後見人の資産が多額で複雑な場合に、弁護士が後見人につくことも多いです。

法定後見で、最も受任件数が多いのが**司法書士**です。土地や建物の持ち主や、会社の役員を法務局で登録する「登記」の専門家で、簡易的な裁判では代理人として訴訟に関わることもできます。後見業務では、不動産の売買や整理、相続による不動産の名義変更など、登記手続きも多く発生します。

社会福祉士は、生活の様々な困りごとの相談にのり、解決につなげる専門家です。介護や障害者支援などの福祉制度に精通しており、療養生活を支えるためのネットワーク作りもします。当事者本人に寄り添い、理解し、思いをかなえるために生活を組み立てていきます。独立して社会福祉士事務所を開業している人もいますが、多くは社会福祉法人や会社などに勤務して普段から高齢者や障害者の支援にあたっています。

行政書士も後見活動をしています。権利義務や事実関係を証明する書類の作成や役所の手続きをおこなう専門家で、たとえば契約書の作成、飲食店や建設業、不動産業などの許認可申請、自動車登録など、扱う分野は多岐にわたります。後見に近い分野では、任意後見契約の原案作成や遺言の作成支援、相続の話し合いを法的文書に作成するといったことがあります。

ここで挙げた専門職は、いずれも**後見を専門とした団体**があり、そこで一定の研修を受けた上で後見業務につきます（**専門団体への加入は任意なので確認が必要**）。また、後見人としての活動を各団体に報告し、チェックを受ける体制が作られています。

主な専門家の特徴

専門家	特徴
弁護士（親族以外のうち25.9%）	・法律の専門家で、裁判や交渉事、諸手続きなどで代理人として法律行為をする ・相続トラブルや様々な訴訟などが想定される場合に心強い 【専門団体】それぞれの弁護士会の中で、**権利擁護センター**（名称は様々）がある
司法書士（同37.7%）	・不動産や法人の登記の専門家 ・認定を受けた司法書士は簡易的な裁判では代理人として訴訟行為ができる ・後見の受任件数が最も多い専門職 【専門団体】**成年後見センター・リーガルサポート**
社会福祉士（同18.1%）	・高齢者、障害者、児童など福祉の専門家 ・様々な福祉制度に精通し、窓口での相談対応や介護・療養生活を整えるサポートをおこなう ・社会福祉法人や支援事業所などに勤務している人が多い 【専門団体】**権利擁護センター「ぱあとなあ」**
行政書士（同4.1%）	・権利義務や事実関係を証明する書類の作成や役所の手続きをおこなう（契約書の作成、飲食店や建設業、不動産業などの許認可申請、外国人の在留資格や帰化申請、自動車登録など） ・任意後見契約の原案作成、遺言作成の支援、遺産分割協議書の作成なども ・都道府県によって活動、受任実績には差がある 【専門団体】**コスモス成年後見サポートセンター**

親族後見人／後見監督人

14 子なのに親の後見人に選ばれなかった！

家庭裁判所は親族を後見人に選ばない傾向

法定後見の後見人は、家庭裁判所が選び、決定するため、申立て手続きの際に候補者を伝えても、希望通りになるとは限りません。とくに近年は、親族が後見人になりたいと考えていても、**かなり厳しい現実**があります。

成年後見が現在のような形になったのは平成12年のこと。当初、親族による後見人は全体の8～9割を占めていましたが、年々その割合が低下し、令和2年には2割を切りました。その背景には、弁護士や司法書士などによる専門職後見の体制が整ってきたこと、社会福祉協議会やNPOなどによる法人後見が徐々に増えてきたこと、市民後見人の養成が始まったことなどがありますが、一番の理由とされているのが、**親族による使い込み**（財産侵害）です。

本人の財産を、後見人になった親族が勝手に使ってしまうという事件は、**財産侵害全体の8～9割以上**を占めるといわれています。その根底には、制度への理解不足や、親族ゆえの「他人の財産」という意識の低さがあり、「それなら、第三者の専門家や団体に後見人を任せよう」と家庭裁判所が判断しているのです。

こうした状況の中、後見人に親族が選ばれる場合の形式も変わってきました。以前は単純に後見人として選ばれていましたが、現在では後見人の活動をチェックする「**後見監督人**」をつけた上で選ばれるケースが増えています。後見監督人は、後見人が本人のためにおこなった財産管理や生活の組み立てなどを提出書類などで確認し、不正を発見したら家庭裁判所に連絡して解任請求の申立てをしたり、緊急の場合に後見人の代わりをしたりします。

また、夫が亡くなった際に、妻である本人と、本人の後見人をしている子どもが遺産を相続する場合には、立場が重なってしまうことから、本人の代わりに後見人ではなく監督人が遺産を分ける話し合いに参加したりもします。後見監督人には専門職が選ばれ、報酬も発生します。

近年は、「**後見制度支援信託**」（P86）などを利用して、日常使わない財産をロックすることを条件とするケースも増えてきました。ただし、本人に預貯金や不動産などの財産がほとんどなく、収入も国民年金のみといった場合は、親族が単独で後見人に選ばれる可能性もあります。

他国に比べ親族後見の割合が少ないこと、**法的立場をもって本人の世話をしたい家族の気持ち**が反映されないこと、専門職後見人には報酬の支払いが必要なことなどから、親族後見が少ない現状には批判も多く、**最高裁も「成年後見人は親族が望ましい」と方針を変更**しています。後見人候補者を親族にしたうちの8割以上が選任されている統計もあり、監督人や後見制度支援信託等の利用を条件に、今後は少しずつ親族後見が増えていくことも予想されます。

後見人等による不正事例件数

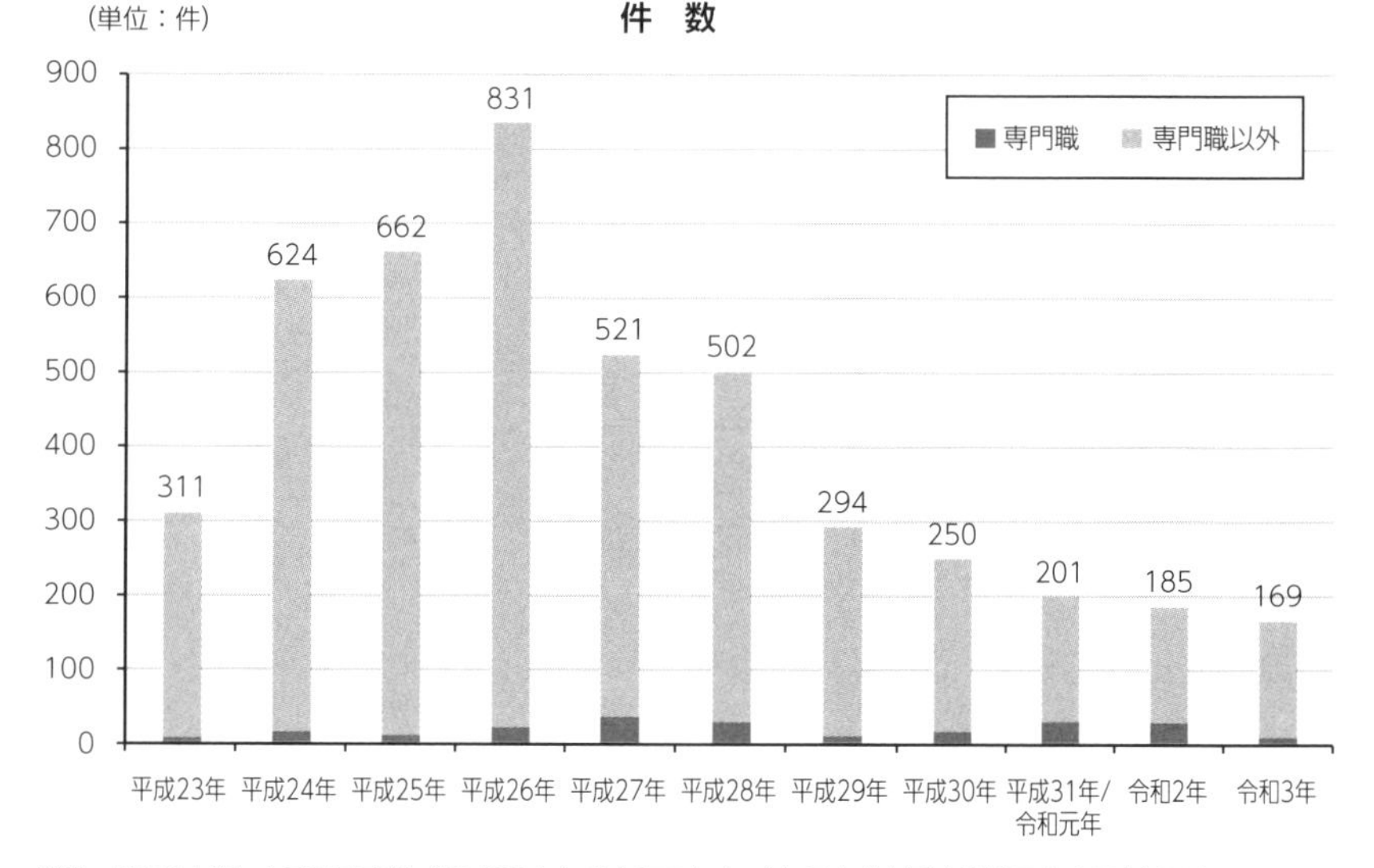

出典：「後見人等による不正事例（平成23年から令和3年まで）」最高裁判所事務総局家庭局実情調査

後見制度支援信託・預貯金

15 確実に本人の財産を守る方法はある？

後見監督人は、使い込みが生じるケースが多い親族後見人に監督人をつけて、その活動をチェックするものでした。親族が後見人になる場合に、本人の財産を守るためにおこなわれるシステムがもう1つあります。**「後見制度支援信託」**と呼ばれるものです。

これは日常的な支払いに必要な金額（例：200万円）を残し、それ以上のお金は信託銀行等の本人の口座に預けてしまうもの。その後は、**家庭裁判所が発行する「指示書」**がないと信託銀行に預けた金銭を下ろせません。ただし、生活費が不足する場合は、信託銀行から普段使う口座に定期的に送金されるように設定できます。また、施設の入居金や自宅のバリアフリー工事など、多額の現金が必要な時は、必要性についてまとめた書類をその都度作成し、家庭裁判所の指示書を求めます。成年後見人が自由に管理できるお金を日常的な支払いに必要な額に限定し、残りは家庭裁判所を通さないと下ろせないように**「財産にロックをかける」**わけです。

親族後見人の使い込みの件もあり、親族が成年後見人に選ばれる際は、この後見制度支援信託の利用を条件とされることが多く、本人の財産を守ることを優先させています。なお、後見制度支援信託を利用できるのは**成年後見のみ**。保佐・補助・任意後見では利用できません。信託できる財産も、**金銭に限定**されます。

本人の財産にロックをかける

家庭裁判所は、後見制度支援信託の利用を検討すべきと判断すると、最初に弁護士や司法書士の専門職後見人を選任。専門職後見人は本人のお金を信託銀行に預ける信託契約をし、契約が完了（ロック）したら**親族後見人に引き継ぎ**ます。なお、後見制度支援信託を利用する場合、お金を管理する信託銀行と専門職後見人（辞任するまで）の両方への報酬が必要です。

また、銀行や信用金庫などの金融機関が同じようなしくみで提供する「**後見制度支援預貯金**」もあります。信託は限られた金融機関しか利用できませんでしたが、預貯金は多くの金融機関が選択肢となります（年々増え続けています）。利用に専門職後見人が関与しない場合もあり、利用者数は増加しています。

後見制度支援信託等の利用者数の推移

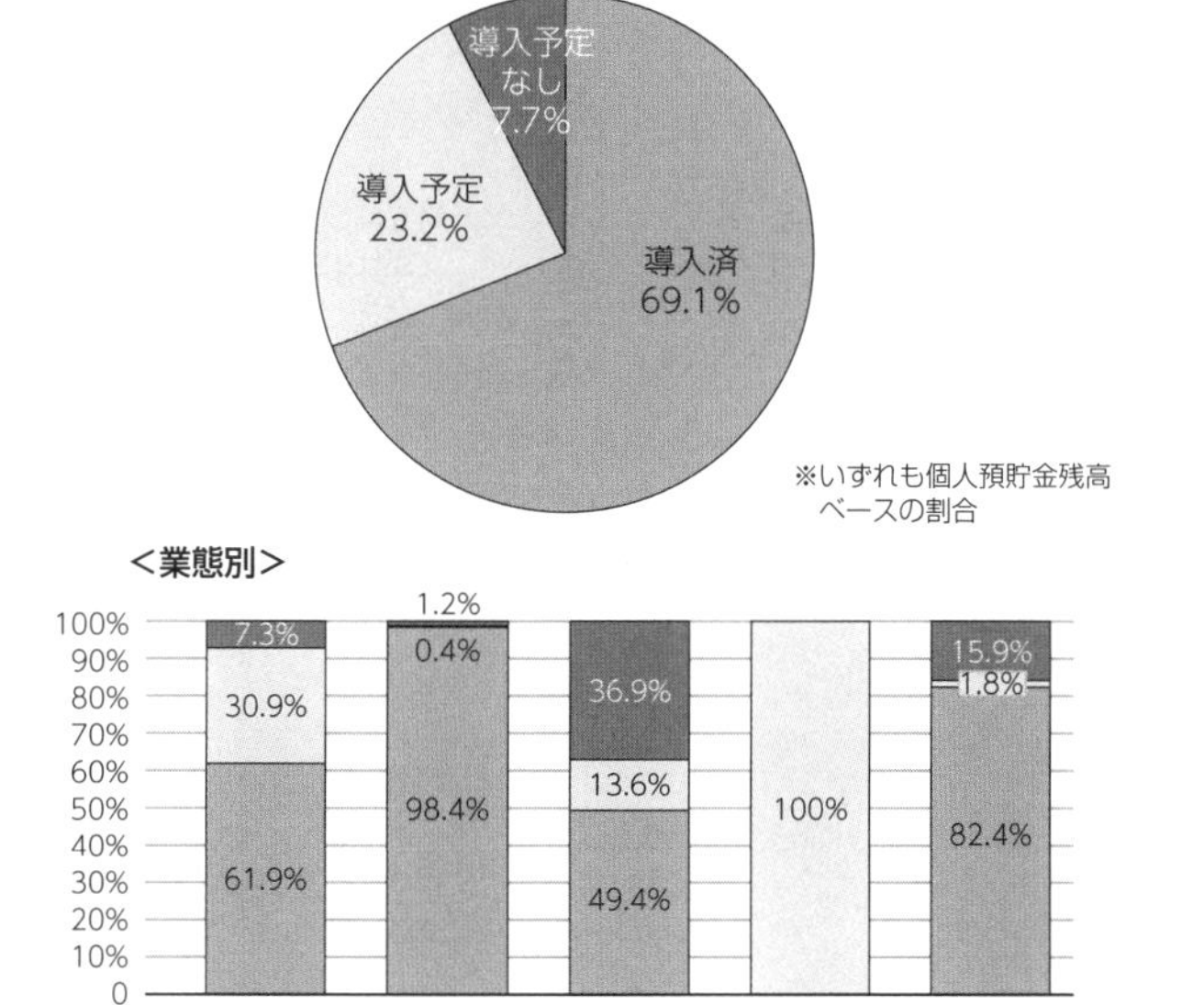

出典：「後見制度支援信託等の利用状況等について一令和3年1月～12月一」最高裁判所事務総局家庭局

支援預貯金・支援信託の導入状況（令和４年３月末時点）

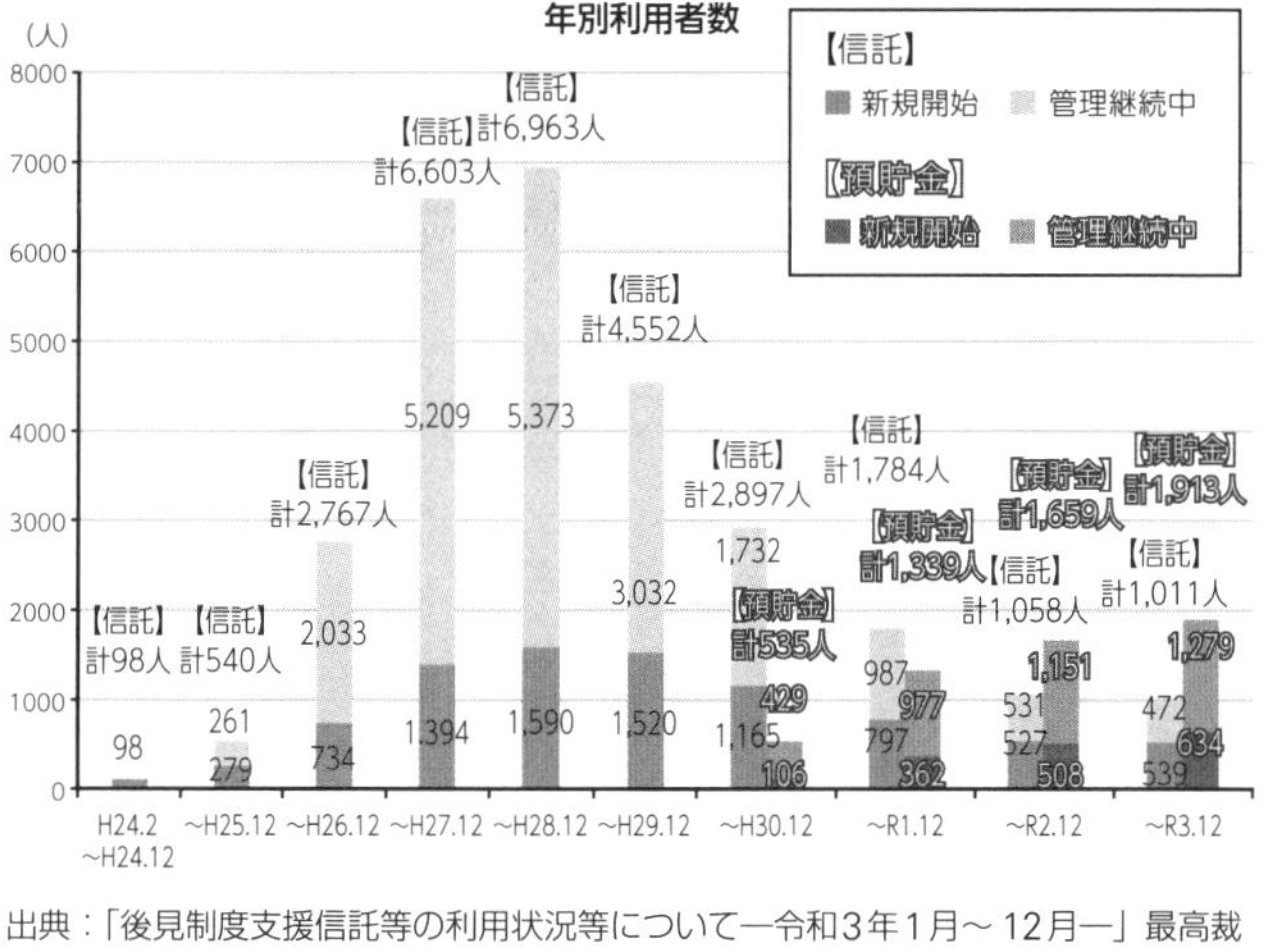

出典：「後見制度支援預貯金・後見制度支援信託等導入状況 令和4年9月9日」金融庁

16 家族は専門家の後見人とどう付き合うか？

コミュニケーションを図って活動内容を確認

親の後見人に、弁護士や司法書士などの専門家がついたとします。難しいことはよくわからないから、プロに全部お任せ……では、少し不安ですよね。ごく一部とはいえ、残念ながら、本人の財産を使ってしまう**悪徳後見人**の報道もあります。せっかく手続きしたのですから、成年後見の利用で本人や家族が嫌な思いをするようではいけません。法定後見で専門家の後見人がついた場合の上手な付き合い方を紹介します。

法律や制度のことはよくわからないから後見人に丸投げ、報酬を払っているんだから後見人に全部やってほしい――そんな声をよく聞きます。しかし、後見人にしっかりと仕事をしてもらうためにも、本人が快適な生活を送るためにも、**家族として最低限やるべきことがあります**。たとえば、入院時や施設入所時の身元保証人や身元引受人、手術への同意などは、専門職後見人にはできません。スムーズに治療や療養をするためには家族の協力が必要です。

また、専門職後見人の仕事ぶりも確認してください。後見活動は本人を理解することが欠かせませんが、そのためには定期的に面会してコミュニケーションを図る必要があります。ただ会うだけでなく、それを後見活動に反映させることも重要。本人のことをどのように理解しているか、後見人に聞いてみましょう。

ただし、後見人の活動内容には、**法律などによる細かい規定がありません**。専門団体の多くは月1回程度の面会を推奨していますが、実際にはそれより少ないこともありますし、家族に通帳を開示・報告するかどうかも後見人次第です（家庭裁判所への報告はします）。それらをしないからといって「後見人として不適格」というわけでもありません。重要なのは、**結果として**

本人の財産管理と生活の組み立てを適切にしているか。そのやり方は、後見人に任せられています。

ですから、後見人のやり方は尊重しつつ、会った時や連絡を取った時に、下記のポイントをチェックすることから始めます。改善してほしい点があれば伝えてもかまいません。後見人と家族のトラブルの多くは、双方の**理解不足**が原因です。まずは対話が第一。遠慮は不要です。待つのではなく、家族のほうから声をかけてください。気後れする場合は、**ケアマネジャーや相談員に頼んでカンファレンスの場に呼んでもらう**方法もあります。

もちろん、後見活動が適切におこなわれていないと家庭裁判所が判断すれば解任されます。ただ、そのためには使途不明金があるなどの客観的な証拠が必要です。

専門職後見人がついた場合のチェックポイント

成年後見に関わる専門家には専門団体がある。所属することで**研修**の受講や、後見活動の内容や管理財産について**チェックを受ける**義務が発生する。法定後見の場合は、原則的に専門団体に所属している専門職が選ばれる

- □ 専門団体に所属しているか?
- □ 本人のことを理解した上で、人生設計をしているか?
- □ カンファレンスに関わっているか?
- □ どのくらいの頻度で本人と面会しているか? 面会の際にどんなことをしているか?
- □ 家庭裁判所に報告しているか?

カンファレンスとは、本人に関わる介護・医療関係者が集まり、**今後の療養生活の方針などを話し合う**場のこと。後見人は、様々な関係者から意見を聞き、本人にとってより良い選択をすることが重要

後見人は年1回、家庭裁判所に財産状況と後見活動を報告するよう指導を受けている

「ぱあとなあ」や「リーガルサポート」は社会福祉士会や司法書士会とは少し違う組織です。こうした「後見の専門団体」に所属しているかどうかの確認が必要です。また、カンファレンスへの参加は、後見人が個人的な価値観を押し付けたり、ひとりよがりな後見活動をしたりするのを防ぐためにも、事務的に終始する対応を防ぐためにも、大事なことです。

17 法定後見では、何にどのくらいお金がかかる？

後見報酬の金額は家庭裁判所が決定

法定後見ではまず、手続きの準備段階で費用がかかります（P67）。そして、家庭裁判所での申立ての際の費用もあります。成年後見・保佐・補助で金額は変わりますが、切手代や印紙代等で約1万円です。判断能力について「鑑定」が必要になった場合は、鑑定費用（左記）もかかります。申立て費用を支払うのは基本的に申立人ですが、家庭裁判所が本人の負担とすることもあります。また、要件はありますが、法テラスによる費用立替制度が利用できる場合もあります。

後見活動が始まると、第三者の専門家が後見人となる場合には、本人の財産から**後見報酬**を支払います。一方、親族が後見人の場合は、報酬を求めないことがほとんどです。後見報酬の金額は、家庭裁判所が**本人の生活・財産状況に配慮**して決定し、財産に余裕があれば月額2万円程度からといわれます。財産が多い場合、遺産相続などで本人の財産が増えた場合、後見活動の内容が通常より大変なものだった場合などは増額もあります。支払いは、通常1年分を後払い。後見報酬が本人の生活を圧迫しては意味がありません。あくまでも本人の生活を優先させます。後見活動のためにかかった切手代や書類取得の費用、交通費などの「**実費**」は、その都度本人の財産から支払います。

また、経済状況にかかわらず法定後見を利用できるように、「**成年後見制度利用支援事業**」という助成金制度があります。本人の住民票がある市区町村がおこなうもので、**法定後見に関わる費用を助成**（一定の財産・収入要件あり）。「申立て費用」と「後見報酬」があり、前者は身寄りがない方が対象となることが多いようです。利用要件は役所ごとに異なるので、役所や地域包括支援センターで確認してください。

後見人をつけるまでの費用

項目	支払う人	金額の目安	支払う時期
診断書代、戸籍等取得費用など（P67）	申立人（場合により本人）	数千円、1万～数万円（ケースにより様々）	申立て準備中
家庭裁判所手数料	申立人（家庭裁判所の審判があれば本人の場合も）	約1万円（成年後見・保佐・補助で異なる）	申立ての時
鑑定費用（鑑定が必要な場合）	申立人（家庭裁判所の審判があれば本人の場合も）	5～10万円が多い	家庭裁判所が鑑定を必要とした場合に、申立時に納めることが多い

上記の費用は、成年後見制度利用支援事業による助成が受けられる場合もあります（財産・収入要件あり）。ただし、手続きできる家族がいない場合の「市区町村長申立て」に限られている市区町村が多いです。

〈申立て手続きを専門家に依頼した場合〉

項目	支払う人	金額の目安	支払う時期
専門家に支払う報酬	申立人	10万円～というケースが多い（財産の額や事務所によって異なる）	事務所によって異なる（着手金がある場合も）

後見人がついてからの費用

項目	支払う人	金額の目安	支払う時期
後見報酬（専門職が後見人になった場合）	家庭裁判所の審判によって、本人の財産から支出	月額2万円前後からが目安だが、本人の財産状況などを考慮して家庭裁判所が決める	1年分をまとめて、1年後に後払い（後見人が手続きする）
実費（切手代、交通費など）	本人の財産から支出	様々	その都度本人の財産から支払う（後見人が支払う）

専門職の後見人がついてからの後見報酬も、成年後見制度利用支援事業による助成が受けられる場合があります（財産・収入要件あり）。

新型コロナウイルス感染症と成年後見

必須のコミュニケーションが困難に

令和2年以降、世界的に拡大した**新型コロナウイルス感染症**は、成年後見制度にも多大な影響を与えました。陽性者の人数や国・自治体の方針（緊急事態宣言やまん延防止の措置等）により、家族はもちろん後見人も長期にわたって**施設や病院への立ち入り、本人との面会が制限**されました。リモートでの面会を行う施設も多かったです。

面会が可能になっても、アクリル板やガラスドアを隔てて、ほんの数分間という事例も数多くありました。本人の耳が遠かったり、リモート機材に慣れていなかったりすると、会話のキャッチボールさえ難しくなります。話をじっくりと聞いたり、今後に関わる選択肢を一つ一つ説明したり、緊急ではないが聞き取っておきたいことを話題に挙げるなど、**本人に寄り添うためのコミュニケーションが困難な状況**がありました。だからこそ、通常時以上に医療・介護関係者と後見人が密に連携し、本人の意向を反映させていくことが求められました。

感染リスクも、自粛によるリスクも

病院や施設ではクラスターも数多く発生しました。集団生活ですし、入院・入居する人の判断能力が低下していると感染対策への理解が困難だったりして、感染が広がりやすい背景があったようです。

実際に感染してしまう方も少なくありませんでした。軽症の割合が多いですが、中には重症化したり、残念ながら亡くなられた方もいます。

また、**自粛生活が本人の生活に与える影響も深刻**です。感染が怖くて外出できなくなった、友人と会う楽しい時間を過ごせなくなった、日常会話が激減し認知症が進んでしまった、身体を動かす機会が減って筋力の低下から転倒してしまった……など。成年後見の利用者は「ハイリスク者」と呼ばれる高齢者や持病を持つ人が多く、感染対策の重要性の一方で、長期間に及ぶ生活制限のデメリットも大きく、関係者を悩ませています。

身体を動かす時間・社会参加する時間ともにコロナ前と比べて減少しているという調査結果もあり、対策が求められるところです。

事務手続きも変わった

事務的な部分では、役所や家庭裁判所の手続きにも影響がありました。従来は対面で手続きしていたものが**郵送のやりとりで可能**になったり、場合により介護認定や医療証の審査を**一定期間延長**できるようになったりしています。給付金の受給についても、後見人が手続きしました。

新型コロナワクチンの接種については、後見人には慎重な対応が求められました。予防接種法に基づき成年後見人の同意があれば本人のワクチン接種が可能です。ただし、ワクチンの接種については本人それぞれの考えがあります。強制ではありませんが、クラスターの危険もある施設等の集団生活では原則、接種を期待されます。そうした状況で、後見人は本人の希望を聞き取り、接種を受けるかどうかを決めていきました。

接種にあたっても、特に都市部（在宅）では当初、接種予約が困難を極めました。希望者がなるべく早期に接種できるよう、日々、予約システムにアクセスし、奮闘していた後見人も多かったようです。

老いじたく講座や成年後見の講演会・相談会などの中止・延期により、**気軽に制度を知る機会が減ってしまった**のもコロナ禍の影響の1つです。完全オンラインでの開催や、少人数の会場をオンラインで結ぶ形式のイベントも増えましたが、IT機器に馴染みのない高齢者も多く、課題は残されています。

後見人には、一般よりも厳しい感染対策や外出・会食等の自粛が求められており、**自粛生活の長期化は後見人自身の生活にも影響**を及ぼしています。

後見活動の現場でも、新型コロナウイルス感染症の影響は大きく、大変な状況が続いています。しかし、どんなに困難な状況でも、その中で本人や支援者と一緒に「最善の策」を考えていくのが後見人なのです。

「成年後見」に関する相談窓口

筆者のおすすめはココ

地域包括支援センター

高齢者の様々な相談に対応する公的機関。中学校区に1つを目安に設置されている**身近な相談場所**。市区町村役場に電話して本人の住所を伝え、「**担当の地域包括支援センターはどこですか？**」と聞けば教えてもらえる。インターネットで「○○市　地域包括支援センター」などと検索してもOK

社会福祉協議会（後見センター・あんしんセンターなどの名称の場合も）

都道府県または市区町村の**社会福祉協議会**に問い合わせ。全国社会福祉協議会のホームページで検索も可能
（https://www.shakyo.or.jp/network/kenshakyo/index.html）

中核機関（後見センター・権利擁護センター・推進センター・サポートセンターなどの名称の場合も）

現在、整備が進められている。問い合わせは、市区町村役場。「Kーねっと」のホームページ（https://www.shakyo.or.jp/knet/）に一覧が掲載されている

法テラス

各都道府県に1～数か所の地方事務所がある。法テラスのホームページでも検索可能（http://www.houterasu.or.jp/chihoujimusho/index.html）

弁護士・司法書士・社会福祉士などの専門団体

都道府県ごとにある

- **日本弁護士連合会**による高齢者・障害者に関する法律相談窓口
  （https://www.nichibenren.or.jp/legal_advice/search/other/guardian.html）
- 司法書士「公益社団法人 **成年後見センター・リーガルサポート**」
  （https://www.legal-support.or.jp/）
- 社会福祉士「**権利擁護センター ぱあとなあ**」
  （https://www.jacsw.or.jp/citizens/seinenkoken/）
- 行政書士「一般社団法人 **コスモス成年後見サポートセンター**」
  （http://www.cosmos-sc.or.jp/）

その他

- 成年後見を手がけている専門職の事務所やNPO法人等の民間団体
- 社会福祉協議会や自治体、民間団体などが開催する相談会や講演会

初めての相談は、誰でも緊張するものですが、窓口の相談員は優しく対応してくれます。P63の注意点を参考に、思い切って相談してみましょう。きっとあなたの不安も軽くなります。

3章

自分の老後は自分で決めたい―任意後見

将来型／移行型／即効型

1 任意後見ってどういうもの？

任意後見のタイプは3つ

任意後見は、認知症や知的障害・精神障害などではなく、判断能力にも問題のない人が将来に備えておこなうものです。今はしっかりしていても、この先、認知症になったり、身体が不自由になって介護を必要とする可能性は誰にでもあります。だから、元気なうちから後見人を決めて契約しておく、**保険のような制度**なのです。* 亡くなるまでに認知症や身体の不自由な状態になることがなければ、後見人が活動することはありません。

任意後見の大きな特徴は、**後見人を自分で決められるところ**。認知症になった後には家庭裁判所が選んだ任意後見監督人がつき、後見人の仕事をチェックします。また、法定後見では後見人に「3つの魔法」（P50）が授けられましたが、任意後見では「代わり身の術」（代理権）のみです。

任意後見には、次の3タイプがあります。まず、認知症だけに備えるもの。認知症になって、自分にとって適切な判断ができなくなってしまった時のためだけに後見人がつくもので、**「将来型」**といいます。2つ目が、認知症と動けなくなった時に備えておくもの。認知症への準備だけでなく、判断能力がある状態でも入院したり、介護が必要になったり、寝たきりになった時に後見人が動けるようにしておく**「移行型」**です。そして3つ目が、すぐに後見活動を始めるもの。任意後見契約ができるだけの判断能力はあるものの、契約後すぐに判断能力が低下したという診断を受けて後見活動を始めてもらう、**「即効型」**というものです。この中で最も一般的なのは移行型です。

いずれにしても、「元気なうちに」自分のことを、誰にどう託すのかを準備しておくものです。

＊認知症に備える任意後見に、「生前事務の委任契約」をプラスすることで、身体が動かなくなった時にも備えることができる（移行型、P106）

任意後見の3つのタイプ

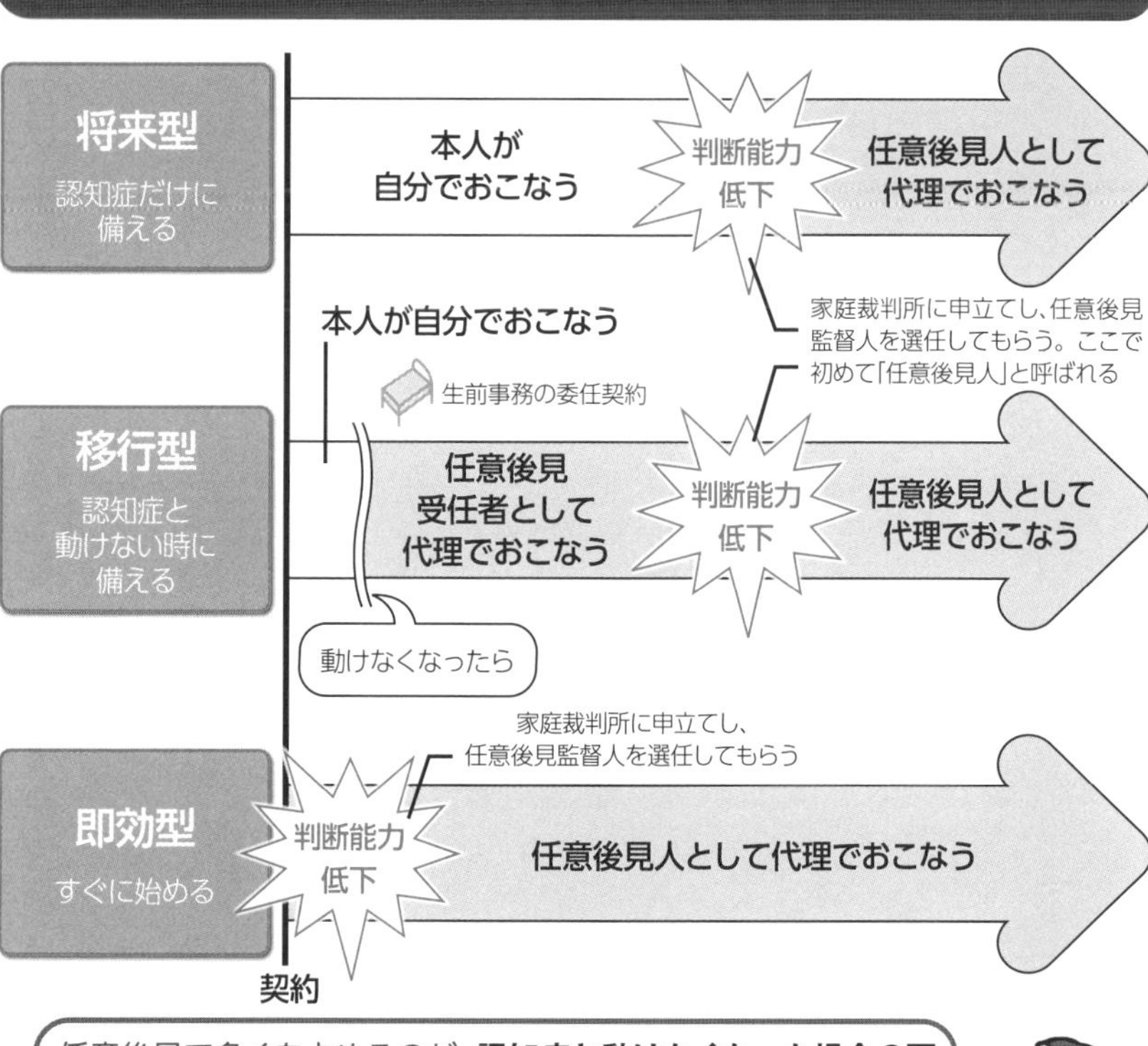

任意後見で多くを占めるのが、**認知症と動けなくなった場合の両方**に対応できる「**移行型**」。頭はしっかりしているけど、看護や介護が必要な状態になって、「**今現在動けないから、すぐに手伝ってほしい**」という人も利用できます。「即効型」は判断能力の低下がかなり軽度の人が利用するのですが、実際にはあまりありません。

任意後見契約の類型

平成30年10月及び11月の2か月の間、全国の公証役場において、新たに公正証書が作成された任意後見契約（約1,900件）について、その類型を調査したもの

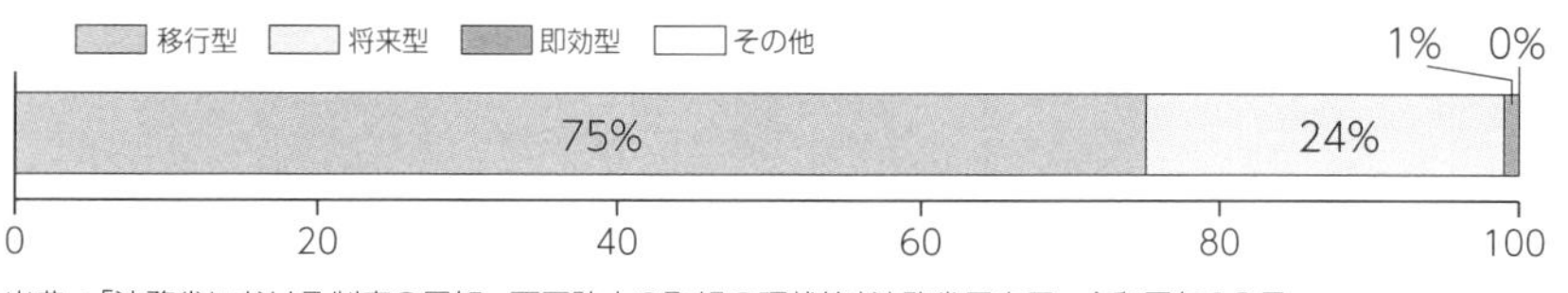

出典：「法務省における制度の周知、不正防止の取組の現状等」法務省民事局、令和元年12月

2 任意後見人に任せられることとは？

後見人に与えられるのは代理権だけ

任意後見で重要な点は、後見人に任せられるのは**「代わり身の術」**（**代理権**）だけということ。自分の「代わりに」やってもらうことに限られるのです。不要な契約を取り消したりするようなことは対象外です。自分がしたことを、自分以外の人によって勝手になかったことにされてしまうのは、「本人の権利を損なう」と考えられるからです。

万が一、悪徳業者に騙されたり、浪費をしてしまうような場合は、より積極的に財産を守る必要が生じます。その時は**途中で法定後見手続き**をし、家庭裁判所から取り消しができる権限を与えてもらうことになります。

任意後見では、自分の代わりにやってもらいたいことを、契約で決めておきます。たとえば、不動産（住まいの希望や、本人が所有する不動産の管理など）、財産管理（預貯金の預け入れ、口座の解約、支払い、年金関係の手続きなど）、医療（入退院の手続きや支払い、医師からの説明を聞くなど）、介護（サービスの契約、ケアマネジャーやヘルパーとのやりとり、施設探しなど）などがあります。他にも、保険や生活費の管理、物品購入などの契約、重要書類の保管など、その内容は多岐にわたります。やってほしいことだけを契約すればいいのですが、後々「契約書に書いていないからできません」ということが起きないように、左の表のような項目を**すべて入れておく人が多い**です。

実際に任意後見の契約をする際は、こうした項目だけでなく、**エンディングノートを（できれば後見人と一緒に）作成**し、具体的な好みや方法について記録しておきます。後見人はそれを保管し、後見が始まった時に参照しながら活動するのです。

任意後見契約で後見人に頼む内容の例

不動産	・住まい探し、自宅の賃貸契約、更新契約 ・本人所有の不動産の管理、保管、処分（賃貸や売却を含む）
金融機関	・銀行との取引（**お金の預け入れ**、**引き出し**、定期預金の解約など） ・証券会社との取引（残高の確認、解約など） ・農協・信用金庫などとの取引
収入・支出	・**年金**などの収入の確認、受け取り、現況届などの必要な手続き ・定期的な**支払い**手続き（口座引き落としの契約や振り込みなど） ・その他、様々な支払い
医療	・入院・退院の手続きや支払い ・治療に関する医師からの説明を聞く ・医療サービスの契約（リハビリや往診など）
介護	・**介護サービス**の契約や支払い ・ケアマネジャーやヘルパーとのやりとり ・**施設**を探して入所契約 ・要介護認定の手続き
保険	・生命保険や火災保険、損害保険、医療保険、がん保険などの手続き ・保険料の支払い、保険金の受け取り
生活費の管理、物品の購入	・日常的な生活費の管理 ・物品購入の手配や支払い
重要書類の保管と手続き、財産の管理	・通帳・キャッシュカードや証書、不動産の権利書、印鑑など重要な書類等の保管や手続き ・所有財産の管理・保管・処分
その他	・上記を実行するために必要な手続き、書類の受け取り、費用の支払い、住民票・戸籍や証明書などの受け取り ・上記で手続きした契約の変更や解約 ・**相続手続き**（遺産分割協議など）、贈与や遺贈を受け取る判断 ・上記に関する交渉や訴訟　など

3 任意後見が向いているのはどんな場合？

実は身近な任意後見

任意後見は、自分の将来の「もしも」に備えるものなので、すべての人が対象です。中でも、いざという時に頼れる人が身近にいない、あるいは身近な人に負担をかけたくない、自分のことは最期まで自分で決めたいという人に適しています。

実際に専門家と契約に至るケースの多くが、自分のことを任せられる子どもや親族がいない場合です。急な入院の際に来てくれる親族に心当たりがない、頼れる人がいないなどの**切実な問題**があり、まさに生きるための任意後見です。また、自身が亡くなった後の**お墓の心配**から、契約する人もいます*。

自分ひとりで生きるために、最期までちゃんと準備しておきたいという人もいます。未婚の人、離婚した人、配偶者を看取った人など、いわゆる「おひとりさま」も自分の老いへの準備が必要。一方で、たとえ子どもがいても、身近な親族がいても、自分の世話をしてほしくない、負担をかけたくないと考える人もいます。年を重ねればどうしても様々な手続きが発生します。それを親族などではなく、任意後見によって第三者に任せるということです。

また、認知症になると、自分自身の気持ちを伝えることができなくなり、受けたい治療や介護、生活スタイルなど、**「こうしてほしい」という希望が言えなくなってしまいます**。認知症になった後も、自分の気持ちを引き継いでくれる人にお世話してもらいたい。そんな思いも任意後見でかなえられます。さらに、**自分のことは絶対に家族にみてもらいたい**という場合は、家族と任意後見契約を結びます。法定後見では家族以外の後見人がつく可能性があるため、任意後見が有効なのです（ただし認知症になると監督人がつきます）。

*後見人にお墓の購入を頼むことはできる。また、任意後見に「死後事務の委任契約」をプラスすると、葬儀などを頼むこともできる（P106）

任意後見契約締結件数の推移

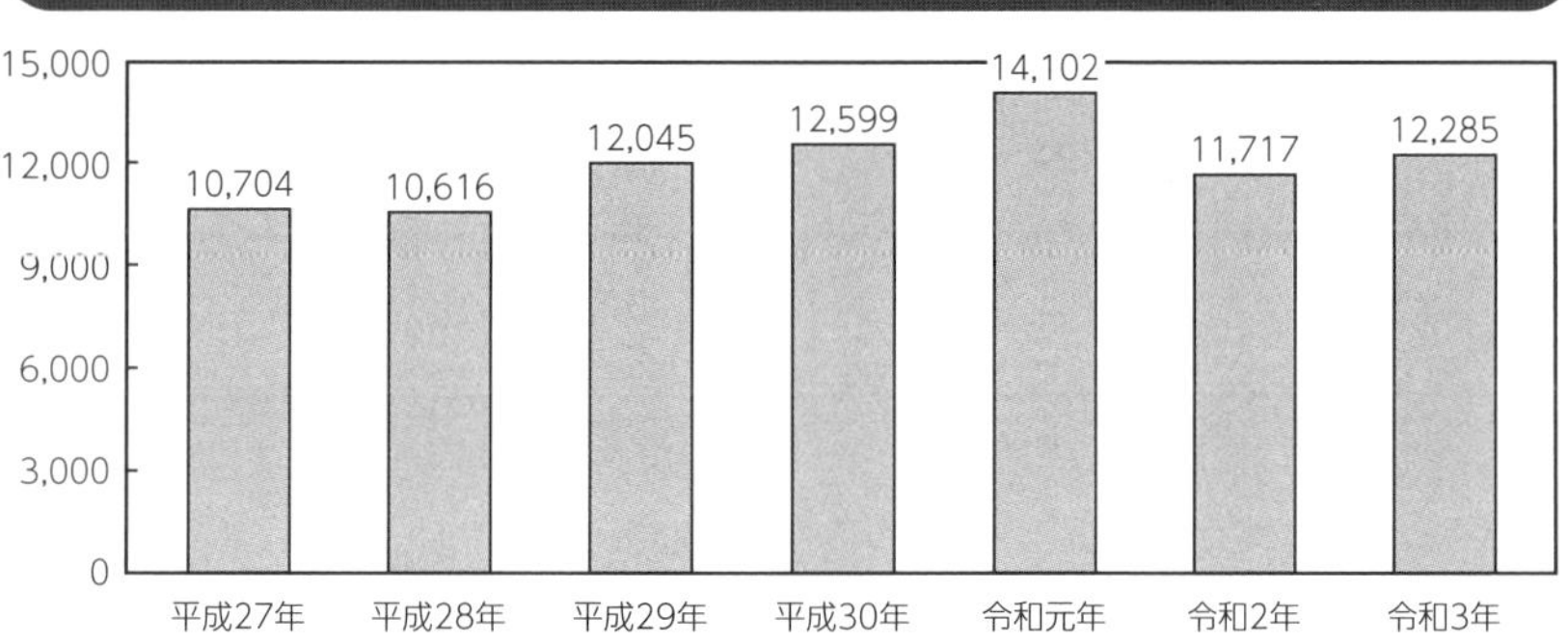

出典：「種類別 成年後見登記の件数（平成24～令和３年）」法務省

任意後見契約の締結は平成27年に1万件を超え、コロナで一時的な減少はあるものの1万件以上をキープしています。法定後見と比べると3分の1ほどの件数ですが、「第二期成年後見制度利用促進基本計画」（令和4年3月閣議決定）で「優先して取り組む事項」に位置付けられたことで、今後さらに増加することが予想されています。

任意後見が向いているのはこんな人

子どもや任せられる親族がいない	・子どもや親族など、いざという時に**頼れる人がいない**人 ・現在自分がみているお墓や、自分が亡くなった時のお墓のことが心配な人 ・頼れる人がいないということは切実な問題
ひとりで生きるために、ちゃんと準備しておきたい	・結婚していない人、結婚したけれどうまくいかなかった人、配偶者を看取った人など ・ある意味身軽だが、**自分の老後の備え**は必須 ・ひとりで生きるという気概もあり、元気に暮らしているうちから、自身の最期のことまでしっかり準備しておこうと考える人も多い
誰にも迷惑をかけたくない	・子どもや身近な親族がいても、自分の世話をしてほしくない、**負担をかけたくない**、関係が薄くて頼みにくいという人 ・高齢になればサポートの必要性が高まるので、任意後見で第三者に任せるのも選択肢の1つ
認知症になっても、思い通りの人生を送りたい	・認知症などで意思を伝えられない状況になっても、**自分の好み**にそった生活スタイル、治療、介護などを希望する人 ・自分の気持ちを引き継いでくれる人にお世話してもらいたい人
絶対に家族にみてほしい（親族との任意後見契約）	・自分の世話は絶対に家族にしてほしいという人 ・認知症になってから法定後見を利用すると、家族以外の後見人がつく可能性があるので、自分がしっかりしているうちに家族と任意後見の契約を結ぶ ・実際に認知症になった場合、監督人がつくとはいえ、**確実に家族が後見人になる**

4 任意後見の手続きってどうやるの？

「何があっても、安心」までの道のり

任意後見の利用を考えた場合も、**まずは相談**です。病気や介護、所有する財産のことなど、自分が感じている将来への不安を具体的にリストアップし、その対策として任意後見が有効なのか相談しましょう。相談窓口は法定後見と同じです（P62、94）。

相談の結果、任意後見を利用することにしたら、後見人になってくれる人を探します。家族に頼む場合は比較的スムーズに進むかもしれませんが、**後見人の仕事は想像よりも大変**です。後見人を頼みたい人が決まっているなら、事前の相談にも必ず一緒に行き、後見人の仕事について知っておいてもらいましょう。

後見人の心当たりがない場合は、誰かを紹介してもらうことになります。相談機関では、後見人の候補者を紹介したり、専門団体を教えてくれたりします。

後見人の候補者を見つけたら、その人が自分の思いをかなえてくれる人かを見極めます。ここが一番重要。**納得できなければ他の人を一から探す**くらいの気持ちで、じっくりと見極めましょう。できれば、契約前に一緒にエンディングノートを作って、あなたの思いを伝えるとともに、相性などを確認します。

候補者と契約する意思が固まったら、必要書類をそろえます。あなたの住民票と戸籍謄本、印鑑証明書など、後見人になる人の住民票と印鑑証明書などが必要です。公証役場と事前に打ち合わせた上で日時を予約して契約。遺言と違って**証人は不要**です。入院や施設にいて公証役場に行けない場合は、公証人に出張してもらえる場合もあります。契約がすめば、将来への不安もひとまず安心に変わるでしょう。

これらの準備は専門家に頼むこともできます。

その後、認知症になったら、後見人になる人が診断

書などの所定の書類を用意して、家庭裁判所に手続きをおこないます。家庭裁判所が後見人をチェックする

「監督人」を決めたら、正式に**任意後見人**としての活動が始まります。

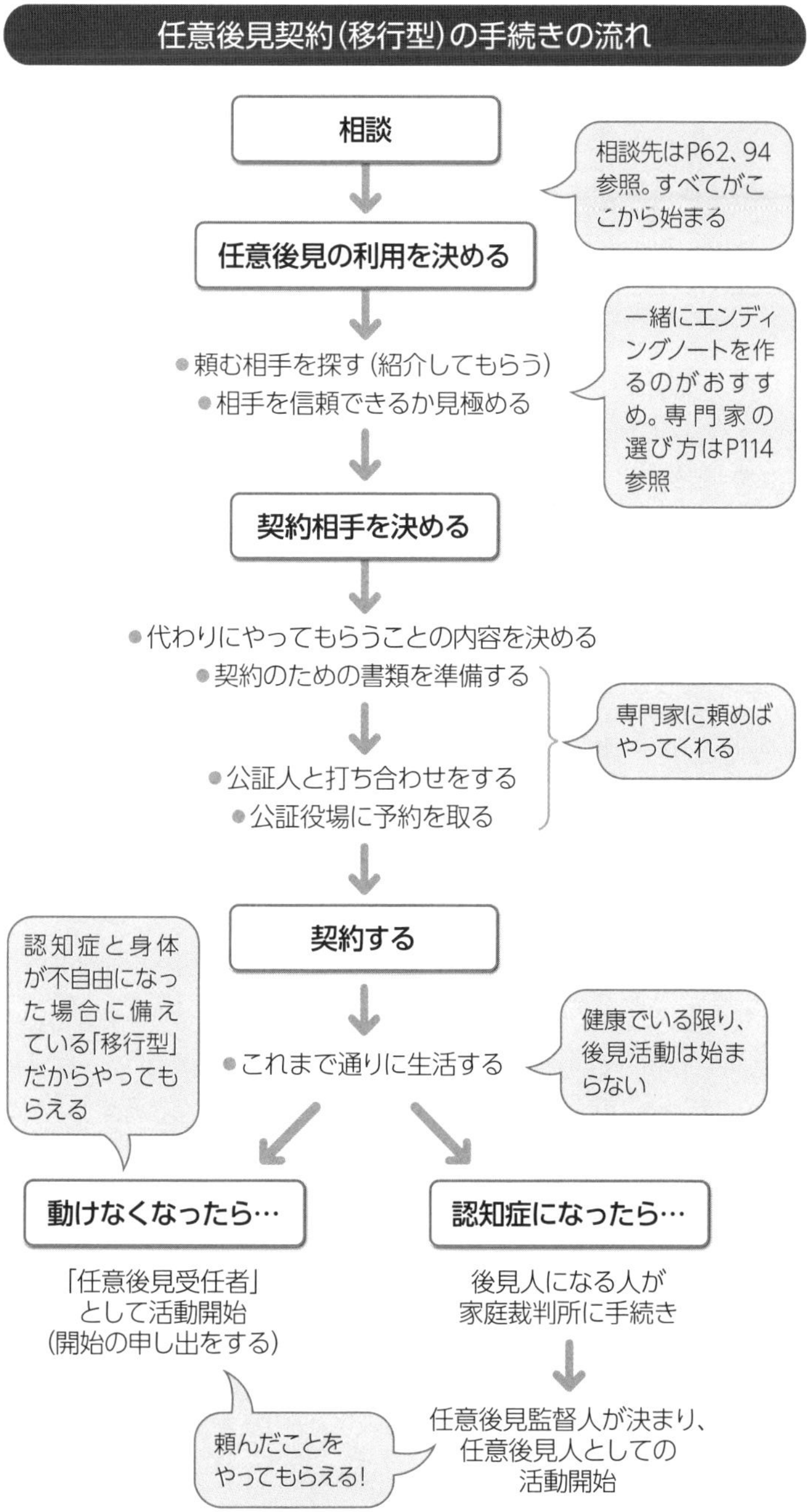

任意後見契約（移行型）の手続きの流れ

相談

（相談先はP62、94参照。すべてがここから始まる）

↓

任意後見の利用を決める

↓

- 頼む相手を探す（紹介してもらう）
- 相手を信頼できるか見極める

（一緒にエンディングノートを作るのがおすすめ。専門家の選び方はP114参照）

↓

契約相手を決める

↓

- 代わりにやってもらうことの内容を決める
- 契約のための書類を準備する
- 公証人と打ち合わせをする
- 公証役場に予約を取る

（専門家に頼めばやってくれる）

↓

契約する

↓

- これまで通りに生活する

（健康でいる限り、後見活動は始まらない）

（認知症と身体が不自由になった場合に備えている「移行型」だからやってもらえる）

動けなくなったら…

「任意後見受任者」として活動開始（開始の申し出をする）

（頼んだことをやってもらえる！）

認知症になったら…

後見人になる人が家庭裁判所に手続き

↓

任意後見監督人が決まり、任意後見人としての活動開始

息子と任意後見の契約を結ぶまで

家族のことは家族で何とかしたい

Aさん（79歳・女性）は、ひとり暮らし。2年前に夫を亡くし、娘と息子は結婚して同じ市内在住です。

最初に任意後見に興味をもったのは息子でした。親子3人で集まった時に、娘の義理の母の認知症介護の話題に。本人のお金を下ろすのも一苦労、後見人をつけるようにすすめられているが、親族以外の人が後見人になる可能性がある……といった話を聞いた息子が、**「お袋の面倒は俺がみる」**と言いだしたのです。

夫は自営業で、Aさんも国民年金のみ。貯金で2棟のアパートを建て、その家賃で夫婦は暮らしていました。夫の死後はすべてAさんが相続しましたが、その管理をAさんができなくなった時に**家族以外の人が立ち入ってくるのは嫌だ**と、息子は言うのです。

息子が見つけたのが、任意後見で自分が母親の後見人になるという方法。これなら、第三者が立ち入ることはないというわけです。Aさんも、なるほどと思いました。夫とともに管理してきたアパートには愛着があります。よく知らない第三者に任せるのは少し怖い、というのが正直なところだったのです。

「あなたに迷惑をかけることにならない？」と息子に聞くと、「姉のところのように、**準備なしで認知症になって家族が苦労するよりいい**」との答え。また、後見人になる際には監督人がつくことも、「周りも安心するだろう」と前向きにとらえています。それならばと、Aさんは息子と任意後見の契約を結ぶことにしたのです。

契約の手続きを専門家に依頼

任意後見では、後見人（受任者）に頼むことを契約書にしておきますが、息子もAさんも何をどうすればいいかわかりません。知り合いの不動産業者に相談すると、専門家を紹介してくれました。

専門家に、これまでの経緯やアパートのことを伝えると、任意後見には3つのタイプがあるとのこと。Aさん親子は、認知症になった時だけでなく、身体が動かなくなった時も、金銭管理や様々な手続きを代わりにできる**「移行型」**を選びました。

専門家は、契約手続きに必要な戸籍や住民票などをそろえてくれて、（印鑑証明書だけ息子が取りに行きました）、アパートが確かにAさん名義であることも念のため確認。Aさんたちから聞き取った内容をもとに、契約書や代理権目録（Aさんの代わりに息子にやってもらうことを記載したもの）の原案を作成します。それをもとに公証人と打ち合わせをし、内容を詰め、ほぼ最終的な契約書類ができた段階で、2人にも最終確認。必要書類の送付、公証役場の予約の日程調整などもやってくれました。

息子と任意後見の契約をした日

そして**運命の一日**。Aさんと息子は専門家と一緒に初めて公証役場に足を踏み入れました。こぢんまりとした事務所の中で、事務員さんが忙しそうにしています。奥に見えるのが公証人でしょうか。

相談室に案内され、冊子になった契約書の文章を一つ一つ読み、公証人と最後の確認をします。少し緊張しながら署名と実印を押して終了。契約書（公正証書）がAさんと息子に1冊ずつ渡されて、最後に手数料の支払い。**「これで何があっても安心」**と、Aさんはホッとしたのでした。

確実に家族を後見人にするために、判断能力のあるうちに、家族と任意後見契約を結ぶ人もいます。ただし、認知症になって任意後見人としての活動が始まる際は、家庭裁判所が選んだ監督人がつくので、**「完全に家族だけ」というわけではない**ことにも注意しましょう。公証役場の契約手続きは、準備段階から契約書（案）の作成まで専門家に相談・依頼することもできます。

5 任意後見とともに、やっておきたいことは？

生前事務の委任契約／死後事務の委任契約／見守り契約

任意後見にプラスすると効果的なもの

任意後見契約は、法律用語としては認知症だけに対する備えのことです。これだけでも将来の備えになりますが、認知症でなくとも入院や介護が必要になり、自由に動けなくなるケースが想定されます。そこで、他にも契約を結んでおくことが一般的です。

たとえば、「**生前事務の委任契約（任意代理契約）**」は、頭はしっかりしているものの自分で動き回るのが難しくなった時に、預貯金の引き出しや様々な契約などを後見人（厳密には任意後見受任者）にやってもらえるようにしておくもの。多くの任意後見では、生前事務の委任契約も含めて契約しています。認知症と動けない時の備え「**移行型**」として紹介したタイプです。

また、後見人の活動は本人の死亡とともに終了するので、亡くなった後のことは親族などに任せます。しかし、葬儀ができるような親族がいない場合や、いても任せたくない場合には、「**死後事務の委任契約**」を結んでおきます。死後事務の委任契約では、亡くなった後の親族などへの連絡や葬儀社の手配、役所の手続き、火葬、納骨、自宅の整理などが頼めます。

生前事務の委任契約も死後事務の委任契約も、任意後見契約と**同時に契約**する形をとります。

また、任意後見はあくまで「備え」ですから、**契約しただけでは何も始まりません**。元気でいる間はそれまでと同様に、自分のことは自分でやります。しかし、いつ身体が動かなくなったり、認知症になったりするかは誰にもわかりません。たとえば契約を交わした10年後に後見が必要になり、その際、久しぶりに後見人と再会……ということでは不安です。その時まで後見人との付き合いがなくならないように、家族以外の後見人とは必ず「**見守り契約**」をしておきましょう。

任意後見でおこなわれる契約の例

見守り契約　任意後見と同時でも、別でもよい

【目的】元気な間も後見人との付き合いをなくさないため。認知症の兆候や身体の不調に早く気づくため

【活動の開始時期と期間】・任意後見契約の後すぐ　・自分のことを自分でできている期間のみ

【主な内容】

- 家族以外の人(専門家)が後見人になる場合に契約する
- **定期的な面会**(数か月に一度くらいが多い)
- 電話による状況確認
- トラブルや困りごとはいつでも相談できる
- エンディングノートの見直しなど

生前事務の委任契約(任意代理契約)　任意後見と同時に契約(1冊の公正証書)

【目的】身体が動かなくなった時のため

【活動の開始時期】

- いつでも開始可能(自分の意思でスタートできる)
- 開始の申し出をすることで開始とすることが多い
- **開始するまでは報酬はかからない**

【主な内容】

- **身体が動かない時、入院した時**などに、自分の代わりに様々なことをやってもらう
- 事前にやってもらうことを決め、契約書に書いておく(代理権目録)
- 頭はしっかりしている間のことなので、任意後見契約よりも代理権を少なめにする場合がある(自宅の処分は含めないなど：任せることを最初にすべて決めず、契約期間中に必要と判断した時点で個別に委任できるように)
- 認知症の状態になったら必ず監督人をつけることを明記する(移行型)
- 監督人がついたら、契約は終了

任意後見契約

【目的】認知症になった時のため

【活動の開始時期】

- 認知症になってから
- 後見人を頼んだ人が家庭裁判所に手続きし、監督人を選んでもらう
- **開始するまでは報酬はかからない**

【主な内容】

- **認知症になり、自分で判断できなくなった時**に、自分の代わりに様々なことをしてもらう
- 事前にやってもらうことを決め、契約書に書いておく(代理権目録)
- 介護・医療関係者との連携、郵便物の開封や保管をしている人から重要書類を引き渡してもらうことなども明記することが多い

死後事務の委任契約　任意後見と同時に契約(1冊の公正証書)

【目的】亡くなった後の事務処理のため

【活動の開始時期】亡くなった時

【主な内容】

- 亡くなった後の事務処理をしてもらう
- ご遺体安置の手配
- **火葬、埋葬**などの手続き、納骨の手続き
- 病院などへの**支払い**
- **相続に関することは範囲外なので注意**
- 親族や友人、菩提寺などへの連絡
- 葬儀社との契約、**葬儀**の手配、案内
- 役所などへの死亡した旨の届け出や手続き
- 各種契約の**解約**など
- 遺言がなければ相続人に財産を引き渡して終了

遺言／尊厳死宣言

6 任意後見だけではカバーできないこともある？

遺産相続と尊厳死は任意後見の他に準備

任意後見にプラスする「死後事務の委任契約」は亡くなった後のことを色々と頼めますが、**遺産相続の手続きまではカバーできません**。財産には、持ち主の名前が登録されており、持ち主が亡くなると、誰かに引き継ぐ必要があります。それが相続です。相続で重要なのは「誰に何を引き継いでほしいか」という持ち主の意思。だから、遺言が重要になるのです。また、死亡後の**相続争いを防ぐ**ためにも、相続する人の**負担を軽くする**ためにも**遺言は有効**です（とくに子どもがいない人には必須といえます）。

遺言には「自筆の遺言」や公証役場で作成する「**公正証書遺言**」などがあり、おすすめは後者です。任意後見も公証役場で契約するので、一緒に準備をして同日に遺言も作成することがよくあります。遺言に書かれた通りに財産の名義変更を進める人（遺言執行者）を決めておくとよいでしょう。なお、自筆証書遺言を作成するなら、令和2年から始まった「**法務局の保管制度**」を利用しましょう。

そして、過度な延命治療をしたくない人には、**尊厳死宣言**の検討もおすすめします。これも任意後見だけではカバーできないものです。

家族とも話し合った上で、延命措置を避けたい意志が固い場合は、その旨を書面にしておきましょう。公証役場で尊厳死宣言公正証書を作成する方法と、日本尊厳死協会に入会して作成する方法があります。

ただし、救急搬送時や家族が反対した場合など、**万能ではない**ことも知っておきましょう。任意後見契約をしていれば、後見人は最大限に尊厳死宣言を尊重して医療機関と調整することになります。

遺言の方式

公正証書か「保管制度」がおすすめ

	自筆証書遺言	公正証書遺言	秘密証書遺言
作成方法	• 遺言者がすべて自筆で書く • 署名・日付の自筆 • 押印もする ※財産目録は手書きでなくても可(各ページに自筆の署名と押印が必要) 〈法務局の保管制度の場合〉 • A4片面、余白などのルールあり • 消えにくい筆記具 • 戸籍通りの氏名　など	• 遺言者が**口頭で**内容を話し、公証人が筆記 • 署名は遺言者(署名できない場合は相談可) • 通常、事前に公証人との打ち合わせが必要 • 実印を押すことが多い	• 遺言者が内容を作成する(代筆やパソコン使用も可) • 署名は自筆、押印もする • 封筒に入れたものを封印し公証役場に持参 • 遺言の存在のみを証明(内容は見ない)
証人	不要	2名必要(いない場合は紹介も可能だが、費用がかかる)	2名必要(いない場合は紹介も可能だが、費用がかかる)
場所	どこでも	公証役場 (場合により自宅などでも可能だが追加費用がかかる)	公証役場 (場合により自宅などでも可能だが追加費用がかかる)
費用	なし	公証人手数料	公証人手数料
保管方法	• 本人が保管 • 法務局の保管制度(手数料あり)	**公証役場に原本を保管**。本人も手元に正本を持てる	本人が管理
死後の手続き(検認)	死亡後、戸籍をそろえ、家庭裁判所での**検認の手続きが必要**(法務局の保管制度利用の場合は検認不要)	なし	死亡後、戸籍をそろえ、家庭裁判所での**検認の手続きが必要**
メリット	• 自分だけで作成できる • 費用がかからない 〈**法務局の保管制度**の場合〉 • 紛失や改ざんのおそれがない • 死亡時に通知することも可能 • 死後の手続き(検認)が不要 • 外形的なチェックが受けられる	• 死後の家庭裁判所での手続き(検認)の必要がない • 公証人が文章の詳細を検討し、**意に沿った法律的に間違いのない**遺言が作成できる • 紛失や改ざんのおそれがない(原本を公証役場で保管) • 自分で書かなくてもよい	• 内容を誰にも知られない • 改ざんのおそれがない(封印するため)
デメリット	自分で文章を考え、財産目録以外、**すべて自筆で**書く必要がある 〈法務局の保管制度を利用しない場合〉 • 死後の手続きが煩雑(検認) • 不備で無効になる可能性 • 紛失や改ざんのおそれがある • 遺言が発見されない可能性	• 費用がかかる • 公証人との打ち合わせなどやりとりが必要 • 内容を公証人と証人に知られる	• 死後の手続きが煩雑(検認) • 不備で**無効**になる可能性 • 紛失のおそれがある • **発見されない**可能性 • 費用がかかる • 公証役場での手続きが必要

※ 遺言の内容や準備を専門家に相談・依頼した場合、遺言執行者に専門家を指定した場合は、それぞれ報酬がかかる
※ 遺言がない場合の相続は、法定相続人による遺産分割協議（P139）となる

人生会議／エンディングノート

7 考えておきたい「生き方」と「最期の迎え方」

「人生会議」してみよう

「**人生会議**」という言葉をご存じでしょうか。人生の最終段階にどんな医療やケアを受けたいか考え、周りの人たちと話し合う取り組み（アドバンス・ケア・プランニング）のことです。

命の危険が迫った時、約7割の人は自分でケアの内容を決めたり、周囲に希望を伝えたりすることが難しくなるといわれます。だからこそ、**しっかりしているうちに望みを整理し、まとめておく必要がある**のです。

現代医学には様々な選択肢があるので、信頼できる人や医療・介護・福祉の専門家と話し合って、自分の気持ちが反映された内容を決めていきましょう。また、決めたことを関係者や親族などにしっかり伝えておく（共有する）ことも欠かせません。

延命治療を避けたい場合は、尊厳死宣言（P108）もあわせて準備します。

「今」を生きるためのエンディングノート

自分の望みを整理して決めておくことが重要なのは、最期の場面に限りません。そこに至るまでに、自分が望む暮らしや療養生活を送ることが何よりも大事です。

今後の自分がどう生きたいかをまとめたものが**エンディングノート**です。遺言と違って法的拘束力はありませんが、非常に重要なものです。あなたが急に倒れて意識を失ったり、認知症になったりすると、今は当然のように生活に反映されている自分の好みや考えを、周囲に伝えることができなくなるからです。

エンディングノートは後ろ向きにとらえられがちですが、考えを適切に整理すれば、「死」よりも今現在の「生」に焦点があたります。**エンディングノートは「今」を充実させるものでもある**のです。

エンディングノートに記入する内容(例)

- 絶対にしてほしくないこと・してほしいこと
- かかりつけの病院や既往歴、服用している薬
- 付き合いのある介護サービスやケアマネジャーの連絡先
- 親族や友人の連絡先(入院時・死亡時に連絡するかどうか)
- 資産の概要(不動産、金融機関・支店名、保険、その他)
- 今の生活スタイル、自分の好み、趣味
- 受けたい介護の内容、介護してほしい人
- 要介護状態や療養生活になったらどこで暮らしたいか
- (自身への)病名の告知や治療方針
- 手術や延命治療、点滴、蘇生措置等の希望
- 終末期の医療やケアの内容
- 最期を迎える場所やそばにいてほしい人
- 葬儀の規模、内容、宗教(送り方)の希望
- お墓や供養について(散骨の希望も含む)
- 法律的な準備の有無(後見・遺言等)
- ペットについて　など

エンディングノート作成のポイント

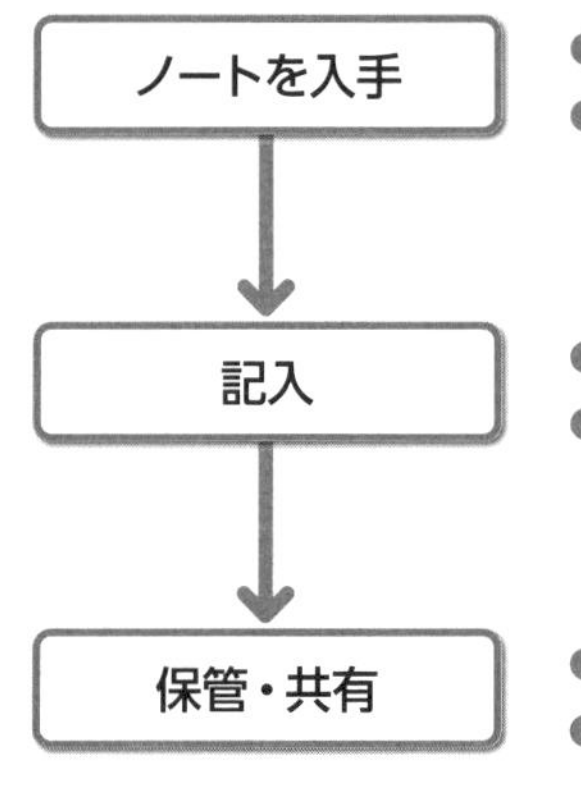

- 使用するノートは何でもよい
- 市販のエンディングノートを書店で購入するのが一般的だが、自治体や金融機関などが無料配布しているものでもOK

- 書きやすい部分から書き始める
- 自分一人で書けない場合は、専門家に相談する(相談先は成年後見と同じ)

- 書いた内容は関係者や親族等と共有する
- 大切な人には保管場所を伝えておく

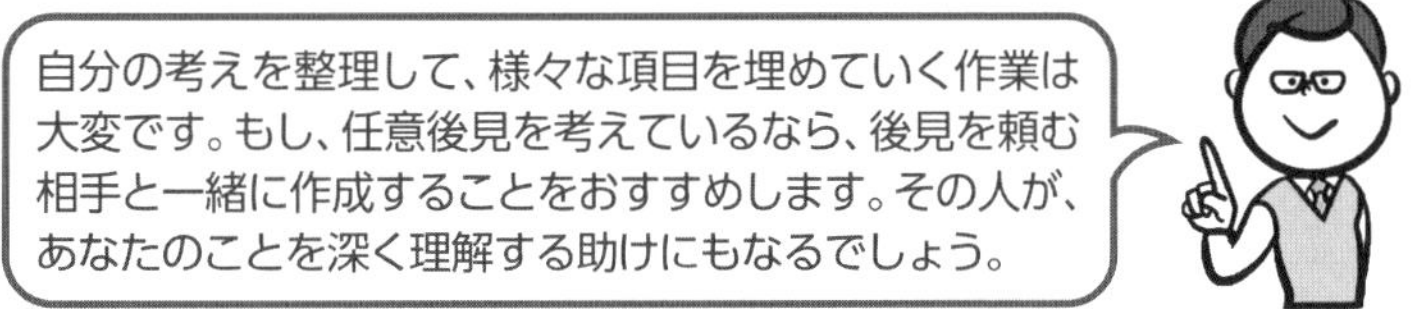

自分の考えを整理して、様々な項目を埋めていく作業は大変です。もし、任意後見を考えているなら、後見を頼む相手と一緒に作成することをおすすめします。その人が、あなたのことを深く理解する助けにもなるでしょう。

8 認知症になった時、任意後見はどうなる?

認知症の始まりに気づいてもらう工夫

任意後見の契約をして、その後、出歩くのが難しくなったので、銀行の手続きや不動産の管理を代わりにやってもらうことになった（生前事務）。この段階では判断能力もあり、後見人（任意後見受任者）から報告を受けて確認することができます。

問題は認知症になってからです。たいていは、あなたをよく知る人が「おかしいな?」と気づくところから発覚します。そのため、任意後見を頼んだ人と定期的に連絡を取り（見守り契約）、ケアマネジャーやヘルパー、かかりつけの医師などにも、その人のことを伝えておきましょう。認知症になった時は、スムーズに連絡してもらうことが大事。認知症の発症を後見人が知らなければ、仕事を始めてもらえませんから（生前事務が始まっていれば、すでに関わりはあるでしょう）。

任意後見を頼んだ人が、あなたが認知症になったことを知ったら（あるいは認知症ではないかと感じたら）、かかりつけの医師や専門の病院で**診断書**を書いてもらいます。判断能力が低下した証拠がない限り、勝手に任意後見人としての仕事を始めることはありません。

任意後見人としての仕事を始めるにあたり、**認知症の発症を自覚できるとは限りません**。戸籍や住民票などをそろえ、申立書や財産目録などを作成し、後見活動が始まってからの**不正を防ぐために**通帳のコピーなども家庭裁判所に提出します。

家庭裁判所で「**任意後見監督人選任の申立て**」をおこない、本人に代わって後見人の仕事をチェックする任意後見監督人をつけてもらいます。通常は任意後見を頼んだ人が手続きしますが、法律上は家族や本人がすることも可能です。後見人を頼んだ人とともに、本人にも、家庭裁判所の職員との面談がある場合が多いようです。

家庭裁判所の審議を経て監督人が選ばれたら、任意後見のスタート。任意後見の契約書と作っておいたエンディングノートに基づいて、任意後見人があなたの「自分らしく安心・安全な生活」をかなえていきます。

認知症の始まりに気づいてもらう工夫

- 後見人を頼んだ人が家族以外の場合は、**見守り契約**を結んで定期的に連絡を取る体制を作る
- 認知症になる前から動いてもらえるように、任意後見契約と同時に**生前事務の委任契約**を結んでおく
- 自分の変化に気づけるように、**定期的に健康診断**を受ける
- 家族や介護・医療関係者（ケアマネジャーやヘルパー、かかりつけの医師や看護師、施設や病院の相談員）などに、「任意後見契約をしていること」「後見人の連絡先」などを伝えておく

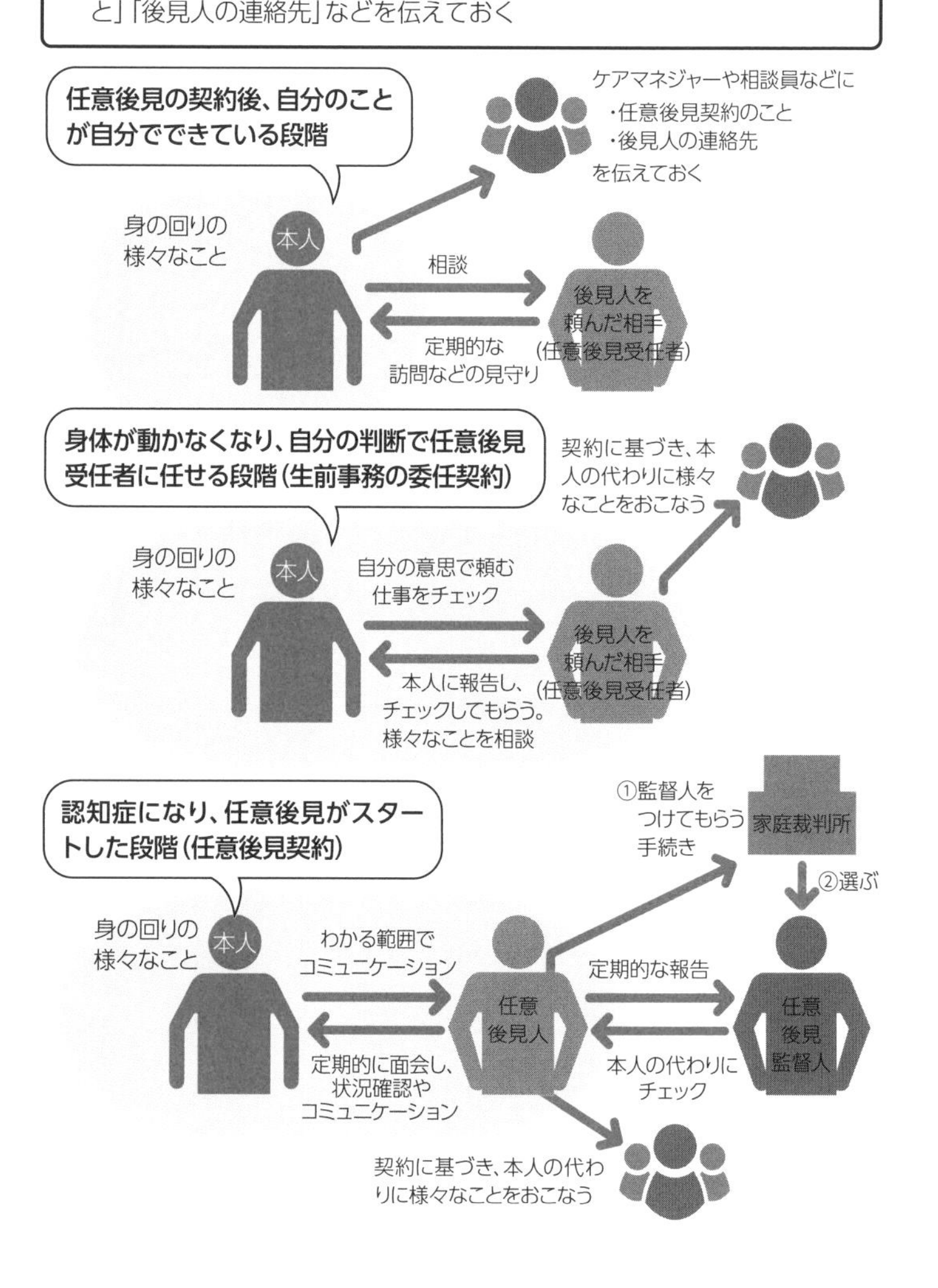

9 任意後見は誰に頼む？ どうやって探す？

後見人を誰に頼むかは最重要問題

任意後見は、自分のしてほしいことを信頼できる人に頼むことができます。しかし、「任意後見を誰に頼むのか？」は、将来を大きく左右することだけに、**最も重要で難しい問題**です。

家族や友人に任意後見を頼みたいという人もいるでしょう。統計上は全体の6～7割が親族との契約です。しかし、後見人はただお世話する人ではありません。責任をもって財産を預かり、様々な書類を作成し、本人や監督人へ報告することが必要です。気持ちだけでできるものではないので、必ず事前に専門機関へ一緒に相談に行き、**後見人の仕事をよく理解した上で**引き受けてもらうようにしてください。

家族にあてがない場合は、自ずと専門家から探すことになります。相談先で「任意後見を頼める人を紹介してほしい」と言えば、専門団体を教えてくれますし、専門団体に相談に行けば所属する専門家を紹介してくれます（P94）。

専門家の後見人を選ぶ場合は、まず成年後見の**専門団体に所属しているか**を確認。所属していれば研修などで最低限の知識がありますし、専門団体が所属する後見人に不正やミスがないかチェックしたり、後見活動の保険に加入したりしているので、安全性が高いといえます。当然ですが、成年後見の経験の有無も重要。任意後見の仕事には**特有の苦労や進め方のコツ**などがあるので、法定後見のみならず任意後見の経験も確認しましょう。

エンディングノート作りで相性をチェック

そして、あなたの話をしっかりと聞いてくれるかどうか。対応が事務的で親身に話を聞いてもらえた実感が得られなければ、本当にその人でよいのかもう一度考えてみてください。見極めに役立つのが、事前の**エンディングノート作り**です。自分の思いを伝えたり、実際の任意後見活動の話を聞いたりすることで、その専門家の実力や経験、あなたとの相性なども、何となくわかってきます。逆に、相手がエンディングノートを重視していない場合は、後見活動が始まってからも事務的な処理をされてしまう可能性が高いです。

法人による後見という選択肢

今は個人の専門家による後見人が主流ですが、行政書士法人・司法書士法人などの専門家の法人やNPO法人、社団法人などが、**法人として後見活動**をするケースもあります。個人や一人事務所の後見人の場合、後見人の病気や事故などのために仕事がストップしたり、日常的な相互チェックの目がなかったりするリスクがあります。個人と契約する場合でも**専門家が複数**いる事務所や、後見人に何かあった時に**フォローできる体制**が整っていると安心です。その点、法人による後見だと団体が後見人になるので、後見人個人の事情で仕事が止まることはありません。

しかし、法人はまだ数が少なく、質も様々なのが実情です。法人に頼む場合は、経験のある専門家はいるか、今までの実績はどのくらいか、後見活動の保険に入っているか、などを必ず確認してください。

任意後見契約の受任者の立場

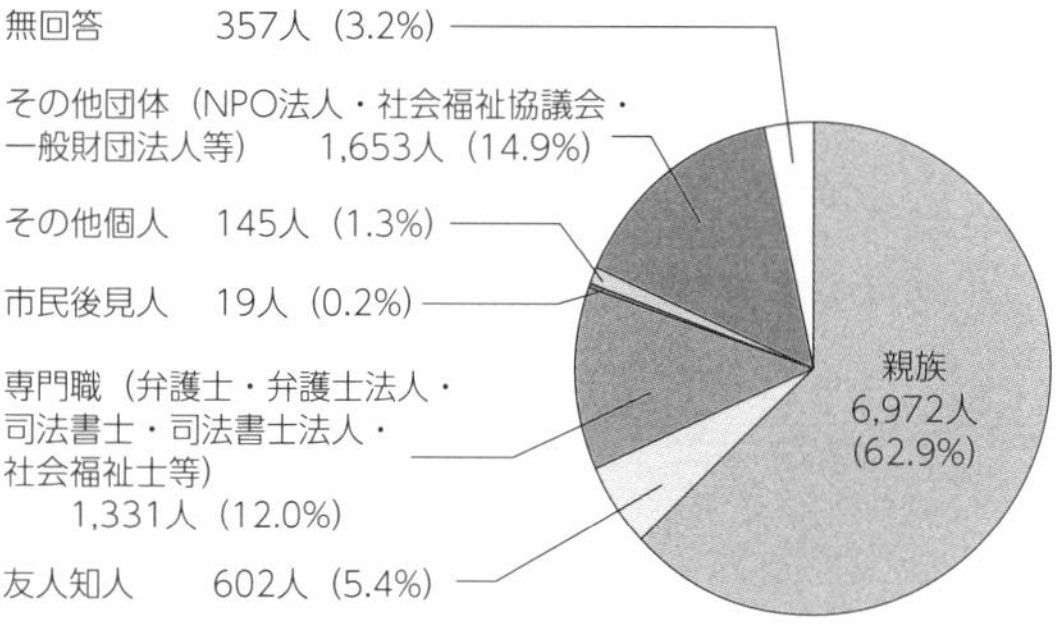

立場	人数	割合
親族	6,972人	(62.9%)
無回答	357人	(3.2%)
その他団体（NPO法人・社会福祉協議会・一般財団法人等）	1,653人	(14.9%)
その他個人	145人	(1.3%)
市民後見人	19人	(0.2%)
専門職（弁護士・弁護士法人・司法書士・司法書士法人・社会福祉士等）	1,331人	(12.0%)
友人知人	602人	(5.4%)

出典：「成年後見制度の利用促進に関する取組について－令和３年１１月以降－」法務省民事局、令和４年５月

任意後見契約の当事者に郵送で調査したもので、回収率が13.9%という点を踏まえて見る必要はありますが、概ね傾向を反映しているでしょう。

10 本当に最期までちゃんとみてもらえる？

報酬や遺産分割などで家族に配慮も

相手を信頼して契約する任意後見ですが、文字通り「最期まで」責任をもってお世話をしてもらうために、いくつか対策を講じておくと安心です。

人の寿命はいつ来るかわかりません。任意後見契約をした翌年かもしれませんし、5年後、10年後、20年後という可能性も。契約をした後見人に「やっぱり大変……」と投げ出されては意味がありません。後見人の**責任感や覚悟**は、非常に重要なのです。

たとえば、友人に後見人を頼むケース。お互いをよく知っているという安心感がありますが、その人が成年後見の専門家でない場合は、**後見人の仕事内容を理解した上で引き受けてもらわないとトラブルの元**です。また、少ない額でも報酬を設定したり、無報酬だとしても遺言で遺産の一部を分けたりする配慮が必要かもしれません。実際に、最期まで任意後見人として活動したことを条件に遺産の一部を分けるといった遺言の事例があります（**専門家が報酬以外に遺産を受け取ることはありません**）。

子どもなど家族を確実に後見人にするために契約する場合も、やはり後見人の仕事をよく理解してもらいましょう。後見人にならない家族に対しても同様です。家族の場合、「報酬なし」がほとんどですが、仕事の大変さを考慮して遺産を少し多めに分けるよう遺言することも考えられます。しかし、親族間でもめたくないからと、そうした配慮を断られる可能性もあります。いずれにしても、**事前によく話し合う**ことです。

後見人の年齢も考慮する

専門家に依頼する場合、生前事務と死後事務の委任契約も結ぶことが多いですし、エンディングノートの作成は必須です（P114）。担当者に不測の事態があった場合にも困らないように、法人（団体）による後見を検討してもいいでしょう。自分の暮らす地域に、どんな法人があるのか（ないのか）、地域包括支援センターなどに相談してみてください。個人の専門家なら事務所の体制（専門家やスタッフの数、不正防止の対策）を確認しておきます。

また、正直なことをいえば、**後見人の年齢も大事な要素**。寿命はわからないとはいえ、自分と同年代または年上の後見人では、自分よりも**先に相手が亡くなってしまう**可能性も高まるからです。万が一の際の引き継ぎ体制ができていれば安心ですが、時間をかけて「この人なら」と決心した後見人が、他の人に変わることは、できれば避けたいでしょう。

そう考えると、自分よりも一世代くらい下の専門家が安心かもしれません。**少し若い世代との付き合い**は刺激やパワーをもらえたりしますし、仕事ではありますが「人生の先輩」として敬意をもって接してくれたほうが意見も言いやすくなるからです。

後見人に途中で投げ出されないためのポイント

- **責任感と覚悟**がある後見人を選ぶ
- 自分のことを理解しようとしてくれる後見人を選ぶ（エンディングノートを重視しない人はあまりおすすめしない）
- 成年後見の専門家でない場合は、後見人の仕事についてしっかりと理解してもらう（一緒に相談窓口に行く）
- 様々な手続きや関係者とのやりとり、出納帳や報告書作成などが**苦手な人には頼まない**
- 家族や友人の場合でも、仕事に責任をもってもらうために報酬を設定したり、遺産の一部を分けたりすることも検討する（家族同士でよく話し合うことが重要）
- 専門家の場合は、責任をもって仕事をする対価として報酬がかかることを理解する
- 法人に後見人を頼むことも検討する
- 個人の専門家は、**複数人によるチェックや不正防止**などの体制をとっている人を選ぶ
- 後見人の**年齢**や健康状態なども確認しておく

11 契約した後見人とうまく付き合うコツは？

最期まで付き合う「同志」の作り方

せっかく契約した後見人だから、良好に付き合いたいし、もしもの時はきちんと仕事をして自分の思いをかなえてほしいと思うでしょう。専門家に任意後見（認知症と動けなくなった時に備える移行型）を頼んだ場合の上手な付き合い方について紹介します。

まず、**見守り契約**は必ずしましょう。支援が必要になるまでの間も後見人との付き合いを定期的に保つようにしておくと、認知症になったことに気づくのが遅れて**悪徳業者に何百万円も騙し取られた**……といった事態を避けやすくなります。もちろん、見守り契約のための費用（年に数万円）はかかりますが、安全に生きるためには必要なことです。エンディングノートを作成していなければ、この期間に話し合って内容を決めておきます。

移行型を利用して、身体が不自由になって後見人（任意後見受任者）に通帳などを預けるようになっても、判断能力がしっかりしているうちは、**預けた通帳を毎回確認**させてもらいましょう。「ちゃんと見られている」という緊張感を、後見人にもたせることが重要です。

後見人の仕事として「できること・できないこと」（P148）を理解することも大事です。任意後見は法定後見よりも自分の希望を反映しやすいですが、後見人はどんな要望もかなえてくれる御用聞きではありません。あなたの代わりに銀行でお金を下ろして支払いをしたり、生活費を持ってきたりするのは仕事ですが、入浴や食事の介助などは仕事に含まれません（介護サービス事業者等と契約し、「手伝ってくれる人がいる状況」をつくるのが後見人の役割）。後見人の仕事内容を理解しておけば、**「頼んだことをやってくれない！」**と

いう誤解や不満もなくなります。

また、疑問があれば遠慮せずにどんどん聞きましょう。専門家でなければ、わからなくて当たり前。通常、質問を嫌がる専門家はいませんし、コミュニケーション不足で関係がこじれる前に何でも聞きましょう。生活上の困りごとや不満、やってみたいこと、要望なども遠慮せず伝えていきます。

そして、任意後見はその人の人生のこだわりを尊重するものでもあります。そのため、専門的な事務や療養のための契約だけでなく、人間としての付き合いの要素が多分に含まれます。**一緒に年を重ねる「同志」**のような存在でもありますから、あなたの人柄や考え方をしっかり理解してもらい、また、後見人の人柄も理解してください。お互いを尊重できる関係が築けたら、あなたの任意後見ライフは心強く、素晴らしいものになるでしょう。

後見人と最期まで付き合う「同志」になるためのポイント

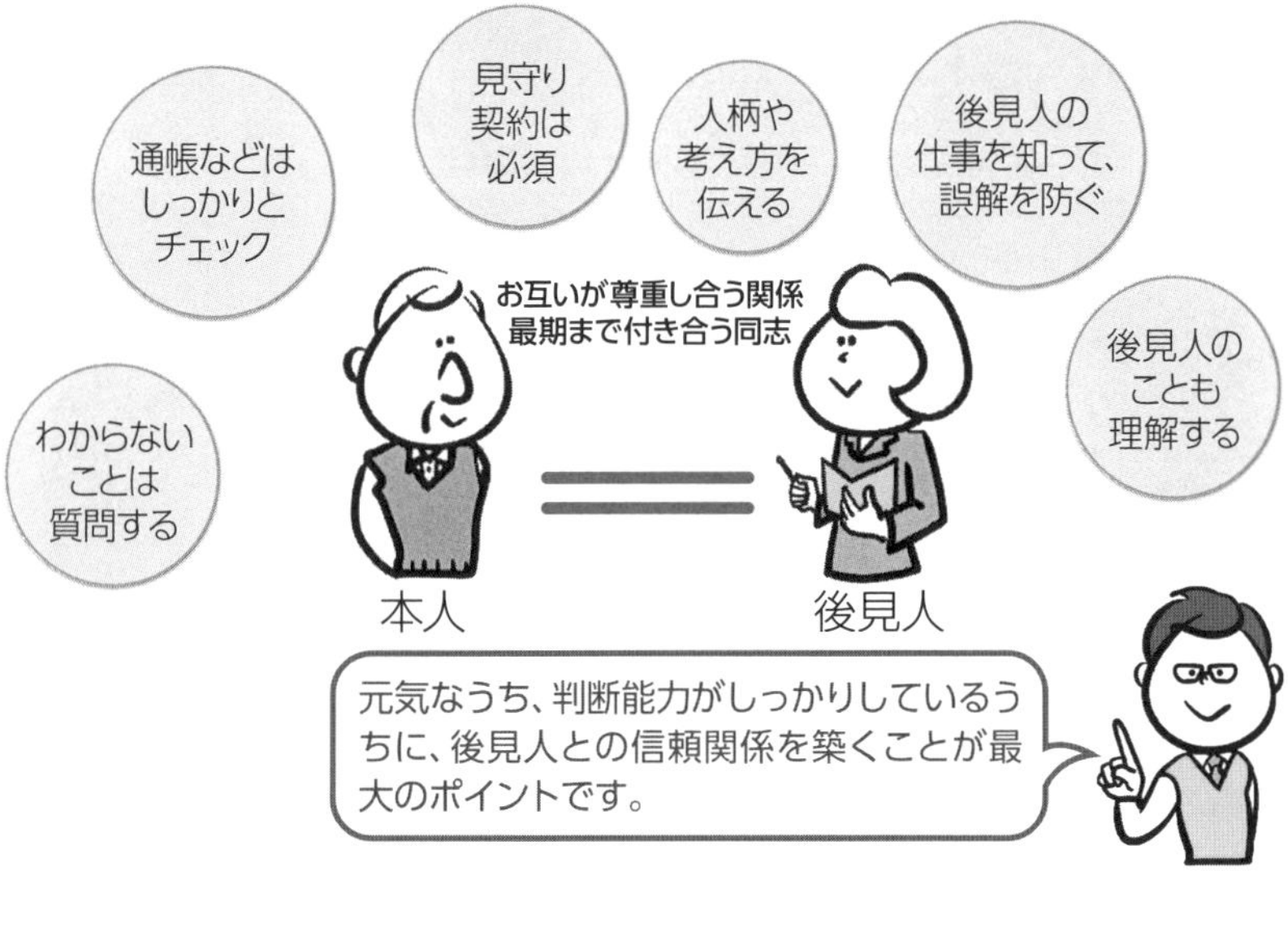

通帳などはしっかりとチェック
見守り契約は必須
人柄や考え方を伝える
後見人の仕事を知って、誤解を防ぐ
お互いが尊重し合う関係
最期まで付き合う同志
わからないことは質問する
後見人のことも理解する
本人
後見人
元気なうち、判断能力がしっかりしているうちに、後見人との信頼関係を築くことが最大のポイントです。

12 任意後見にかかる費用はどのくらい？

自分らしく安心・安全な生活には費用がかかる

任意後見には、**①契約締結にかかる費用**、**②契約後、自分で自分のことをできている期間の費用**、**③後見人の仕事が開始してからの費用**の3つがあります（どれも内容により、金額に幅がある点に注意）。

①では、必要書類の取得費用や公証役場の手数料などがかかります。公証人に出張してもらう場合は、手数料が増額され、公証人の日当や交通費も必要です（2～7・5万円程度）。また、専門家に契約の準備や後見人になることを依頼する場合には、その報酬もかかります。5～20万円くらいでしょうか。

心身とも健康状態に問題がなく、自分で自分のことをできている間（②）も、見守り契約をするケースがほとんど。いつでも相談可能で、数か月に一度面会といった内容が一般的で、年間で数万～6万円ほどです。

通帳などを預けて後見人の仕事が始まると、専門職後見人の場合は報酬などの③の費用が発生。金額は任意後見の契約をする時に決めて、契約書に明記されています。財産額などで前後しますが、月額3～5万円のケースが多いようです。なお、後見人が仕事を進める上でかかった実費（切手代、文書取得費、交通費など）も報酬とは別にかかります。さらに、認知症になった場合は、後見人の仕事をチェックする監督人がつき、その報酬も本人のお金から支払われます。**監督人の報酬**は、家庭裁判所が本人の生活に支障のない金額に決めますが、月額1～3万円くらいが多いです（あくまでも認知症になってからかかる費用）。

自分らしく安心・安全な生活を送って、人生を全うしたいと考える人は少なくありません。たとえ認知症や要介護になっても、**最期まで思い通りに生きられることには、大きな価値**があるのではないでしょうか。

任意後見の契約をするまでの費用(❶)

項目	金額の目安	概要
相談機関への相談	無料 (自宅などへ出張してもらう場合に費用がかかることも)	• 任意後見について、最初にする相談 • 無料で相談できる場合がほとんど
専門家への相談	無料の場合が多いが、1時間0.5～1.5万円の相談料がかかる場合も	• 専門家への、任意後見の契約内容などの相談 • 専門家に後見人を依頼する前に話を聞く場合 • 契約手続きを依頼すると、報酬に充当する事務所もある
書類の準備	本人の住民票：200～300円 本人の戸籍：450円 本人の印鑑登録証明書：300円	• 任意後見契約に必要な書類の取得費用 • 後見人を引き受ける人の住民票と印鑑登録証明書等も必要
公証人手数料	公証役場に行く場合： 2～4.5万円 公証人に出張してもらう場合： 4～7.5万円	• 任意後見契約だけの場合と、生前事務の委任契約などをプラスする場合とで異なる • 出張での契約は手数料が増額
〈上記の手続きや後見人を専門家に依頼する場合〉		
専門家に対する報酬	5～20万円くらいが多い	• 後見人を頼むか、契約書の準備だけを依頼するかで異なる • 財産の金額や契約の内容によっても異なる • 着手金と残金に分かれる場合もある • 任意後見の契約時に一度だけ支払う

専門家と任意後見契約をした後にかかる費用(❷❸)

項目	金額の目安	概要
見守り契約	年間数万～6万円くらい	• 訪問回数や見守りの内容などによって異なる • 自分のことを自分でやっている間だけ支払う
生前事務の委任契約に基づく業務への報酬※1	毎月3～5万円くらいが多い	• 任意後見と同時に生前事務の委任契約をした場合のみ • 身体が動かなくなり、様々な処理を頼んだ時から報酬が発生(**認知症になったら終了**) • 契約書に金額を記載する
上記の際の実費	様々	• 業務を進める上での書類取得費用や切手代、交通費など
任意後見人への報酬※2	毎月3～5万円くらいが多い	• 認知症になり、任意後見監督人がついて任意後見人の仕事がスタートしてから報酬が発生 • 契約書に金額を記載する
上記の際の実費	様々	• 業務を進める上での書類取得費用や切手代、交通費など
任意後見監督人の報酬	月額1～3万円くらい	• 認知症になり、任意後見監督人がついて任意後見人の仕事がスタートしてから報酬が発生 • 金額は、財産や監督人の業務などをもとに、本人の生活に配慮して**家庭裁判所が決める** • 1年後の後払いが多い
死後事務の委任契約に基づく業務への報酬	頼む内容により幅がある (数十万円～100万円ほど)	• 死亡後にやってもらうよう頼んだ様々な手続きや葬儀、納骨などへの報酬 • 内容により、金額にかなり幅がある • 契約書に金額を記載する

※1生前事務の委任契約に基づく業務への報酬(実費含む)と※2任意後見人への報酬(実費含む)は、どちらか片方がかかります。**両方同時に支払うことはありません。**

とっても気になる！　お墓のこと

「自分が入るお墓がない」「私が死んだら、誰がお墓をみるの？」……など、お墓のことを心配している方は少なくありません。自分が亡くなった後の話とはいえ、遺骨は残りますし、先祖から代々受け継いできたお墓などは「後のことは知らない」と無責任ではいられないのです。

お墓の問題は、成年後見と密接な関係があります。まず、現在、**自分がみているお墓**の管理。亡くなった親族が入っているお墓がある人は、自分が元気なうちは問題なく管理できますが、身体が動かなくなったり、認知症になったりすると、それが難しくなります。この場合、後見人はお墓の除草や清掃などのサービスを契約し、管理料の支払いや菩提寺とのやりとり（本人の希望により塔婆料などの支払い）などをおこないます。

また、**自分が亡くなった時に入るお墓が用意できていない**という場合は、しっかりしているうちに希望に合うところを探して、予約しておくことになります。埋葬の方法には、合同墓や樹木葬、夫婦用や単身用のお墓、永代供養墓など様々な選択肢があります（自治体によって対応は異なりますが、散骨という方法もあります）。移行型の任意後見を利用する場合は、後見人（受任者）と相談しながら決めていき、契約や支払いなどをしておくのがよいでしょう。**自分の意思表示ができるうちに決める**ことがとても重要です。

法定後見の場合、任意後見でも判断能力が低下した後の場合は、後見人は本人以外にも家族や監督人、家庭裁判所などと相談しながらお墓を決めて、いざという時に備えます。

さらに心配なのは、**自分の死後にお墓を管理できる人がいない**というケースです。夫婦用・単身用のお墓や永代供養墓であれば、事前の取り決めに従って期限まで管理されますが、もともとあった代々のお墓は、墓じまいやお墓の移転が必要になることもあります。本人が亡くなった後は、**墓じまいなどをするのは後見人ではなく親族**というのが基本です。親族がいない、いても関わりがなく頼めない場合は、しっかりしているうちに自分で手配しておくか、**任意後見に死後事務の委任契約をプラス**しておきましょう。

Column

高齢ドライバー事故問題と成年後見

高齢ドライバーの事故の増加は、報道などでも話題です。車の運転には総合的な判断力とともに、とっさの瞬発力や身体能力も必要ですから、どんなに運転経験が長くても加齢とともに安全な運転が難しくなる傾向があります。一方、自分の**運転に対する自信は年齢とともに上昇**しているという調査結果もあり、免許の返納時期などで**家族と意見が対立することも多い**ようです。

健康な高齢者でさえ安全運転が難しくなることが多いのですが、ここに認知症の問題が加わるケースもあります。たとえば道路の逆走や歩行者への突っ込み、信号無視や**車での徘徊**（自宅に戻れなくなってさまようこと）などは大変危険です。そして認知症になると、自分の運転能力を客観的にとらえたり、事故の危険性について認識することが困難になるのです。

その対策として、75歳以上で過去3年間に信号無視等の違反歴がある人は、運転技能検査に合格しないと免許の更新ができません。また、75歳以上の人が免許更新時の検査で認知症のおそれがあると判定された場合には、**医師による診断が義務づけ**られています（逆走や信号無視など、特定の交通違反をした場合も）。**認知症と診断されると、後見人の有無にかかわらず、免許は取り消しや停止の対象**となるのです。

しかし、問題は免許のことだけではありません。返納してもそれを忘れてしまうこともあります。

認知症などで運転が難しい場合、後見人は関係者と連携しながら、第三者の立場から運転の危険性を伝えるとともに、買い物のヘルパーや介護タクシー、宅配や通信販売、移動支援サービス、コミュニティバスなどの利用手続きや支払いなどをおこないます。不要な自動車の売却や処分、それに伴う手続きをする場合もあります。また、**運転以外に興味や生きがいを**感じられるように、地域活動への参加やレクリエーション系のサービスの利用も検討します。

とくに交通手段があまりない地域では、車は生活に密着していて手放せない事情があります。**地域ぐるみで認知症の方を支えていくしくみ**作りや、車を手放しても気軽に買い物や病院に行けるような**代替手段の充実**が求められています。

事例

エンディングノートと「人生会議」が人生を輝かせる

たまたま立ち寄った「老後の無料相談会」

Bさん（68歳・女性）は、結婚歴はなく子どももいません。きょうだいとも疎遠で、自分の将来に漠然と不安を抱えていました。老いじたくの本を買って読んでみたものの、何からやればよいのかわかりません。

ある日、地区センターでやっていた「老後の無料相談会」に、**思い切って入ってみました。** 相談した結果、自分の心配事に対しては任意後見で準備できると知り、教えてもらった地元の専門家の何人かと面談して相性が合う人を見つけました。介護やお墓など、まだ何も決めていないと伝えると「これから一緒に考えていきましょう」と言ってくれたのが決め手でした。

その専門家は、任意後見の契約前に、**一緒にエンディングノートを作って**くれました。飼っている犬のこと、食事の好みや毎日の生活習慣、入院や治療、介護での希望、お墓や葬儀のこと……様々なことを考える中で、自分が将来、**どのように年をとっていきたいのかが明確になっていきます。** また、以前から取り組んでいたペットの保護活動を、**元気なうちに思う存分やりたい**という気持ちも芽生えてきました。

エンディングノートの完成後、その専門家と任意後見の契約を締結。お墓など、決めておくべきことは後見人と相談しながら準備を進め、現在はすっきりした気持ちでペットの保護活動に励んでいます。

エンディングノートは、将来の備えについて考えるだけでなく、**今の自分**にとっての優先順位を明確にする効果もあります。また、「**人生会議**」と呼ばれる、**ケアや医療についての希望**を考え、話し合う取り組みも始まっています。

事例

最後の旅行で最高の思い出を

認知症の妻の介護中に受けたがん告知

がんの告知を受けたCさん（77歳・男性）の家族は、認知症の妻のみ。自宅で献身的に介護をしてきました。「俺のほうが先に逝くのか……」とやりきれない気持ちになり、妻のケアマネジャーに今後の妻の介護、自分自身の治療、いつか来る最期の日、その後の相続……と**何から手をつければよいのかわからず不安**な気持ちを打ち明けたのでした。

後日、ケアマネジャーに紹介された地域包括支援センターの社会福祉士に、自分の病状と今後夫婦に襲いかかるであろう様々なことを相談すると、妻には**法定後見**、自分には**任意後見**、そして**遺言**という手段があるとわかりました。

やるべきことがわかったCさんの動きは早く、専門団体に相談して妻と自分の後見人を紹介してもらいました。家庭裁判所と公証役場で手続きをすませ、妻の施設入所の申し込みも完了。Cさんの病状も急変することなく、自分の後見人と相談しながらホスピスも予約できました。そんな時、**「最後に夫婦の地元である盛岡に帰りたい」**という強い思いに気づきます。

双方の後見人に相談すると、主治医やケアマネジャーなどと調整してくれて、状態が安定している今ならということで旅行を手配。**最後の旅行の思い出**を胸に、Cさんは安らかな笑顔で旅立たれました。

「病気だから…」とあきらめていることの中には、意外と実現できるものもあります。Cさんが心から旅行を楽しめたのは、**将来の不安を解消**できたことと、関係者のサポートがあったからかもしれませんね。

事例

入院中の病院で任意後見契約

入院には慣れていたけれど…

様々な持病を抱えるDさん（79歳・女性）の口癖は、「何回も手術をして、入院には慣れている」。夫に先立たれ、娘も海外へ嫁いでいたため、いつ身体に不調が起きても大丈夫なように、**着替えやお金などを入れた入院セット**を用意していました。

ある日、Dさんは自宅の前で転倒。近所の人が救急車を呼んでくれて、入院・手術となったのです。

想定外だったのは、入院期間がのびたこと。手術の後、リハビリ専門病院に転院することになり、入院予定は3か月。手術費用は手持ちのお金で支払えましたが、**さすがに3か月分の入院費はありません。**

病院の医療ソーシャルワーカーに任意後見のことを教えてもらい、専門団体の訪問相談を利用。そこで紹介してもらった人と**任意後見（移行型）**の契約をすることにしました。公証人に病院に来てもらって、その場で契約。すぐに通帳を預けて、入院費を支払うことができました。

その後、Dさんは歩けるようになり退院。後見人（受任者）に通帳等を返してもらい、今まで通りに自分のことは自分でやっています。入院した時や動けなくなった時だけに動いてもらうことにしたのです。娘も安心してくれて、それからは「**私には後見人がついてるのよ**」が口癖になりました。

病気や入院をきっかけに、移行型の任意後見を利用する人も多いです。**いざという時に頼れる人**がいると、安心して生活を送ることができます。契約した場合は、名刺など後見人（受任者）の**連絡先を常に携帯**しておきましょう。

4章

「後見人」って何をする人？

1 後見人になるって、どういうこと？

その人らしい人生を追求するのが後見人

この章では、後見人の具体的な仕事内容について紹介します。まずは、自分以外の人の人生に関わる後見人の、基本的態度や心構えについてです。

後見人が優先するのは、**本人の人生観や気持ち**。自分らしく安心・安全な生活の実現が、後見制度の目的なので、**後見人個人の価値観は不要**です。任意後見であれば、本人がしっかりしているうちに様々な希望を聞き取っておきます。法定後見でも本人とコミュニケーションを図り、家族や介護・医療関係者とも相談しながら、できるだけ本人の望む生活のあり方を把握します。そもそも後見人には「**すべての人には自分で決める力がある**」という前提に立ち、本人の意思に寄り添っていくことが求められています。スムーズなコミュニケーションが難しい場合でも、環境面の整備や適切な支援者の関わりで意思表示（あるいは意思の推定）が可能な場合も多いです。

一方、後見人がついたということは、本人は病気や障害などで判断能力の低下した状態にあるということです。「本人が言っているから」と、すべてその通りにするのが本人の幸せにつながるとは限りません。お金の計算ができなくなった方、自分の病気について理解できない方、自分にとって良いこと・悪いことの区別がつかなくなった方などは、本人のためにも後見人が軌道修正して保護的に関わることも必要。場合によっては、後見人が「代行決定」せざるを得ない場面もあるでしょう。

本人の失敗がすべて悪いことではありませんが、重要なのは、**「本人の意思の尊重」と「保護的な軌道修正」のバランス**なのです。

そのためにも、すべての後見人には「意思決定支援[*]

＊意思決定支援ワーキング・グループが令和2年10月に公表

を踏まえた後見事務のガイドライン」を理解することが欠かせません。また、**妥当性**（他の人から見ても適切であること）と**根拠**（客観的な理由があること）も求められます。家族をはじめケアマネジャーや介護・医療スタッフなどとも話し合い、様々な立場の意見を聞いて、本人に寄り添ったより良い（と思われる）判断をしていくのです。

また、預かるのは他人の財産ですから、当然、不正があってはなりません。**使途不明金の発生や間違いを防ぐ**ために、預貯金、証券、現金など、すべての財産の収支は1円単位で出納帳に記録します。こうした基本方針は、家族が後見人になる場合でも、専門家が後見人になる場合でも同じです。また、すべての後見人は家庭裁判所（場合により後見監督人）に報告し、チェックを受けています。

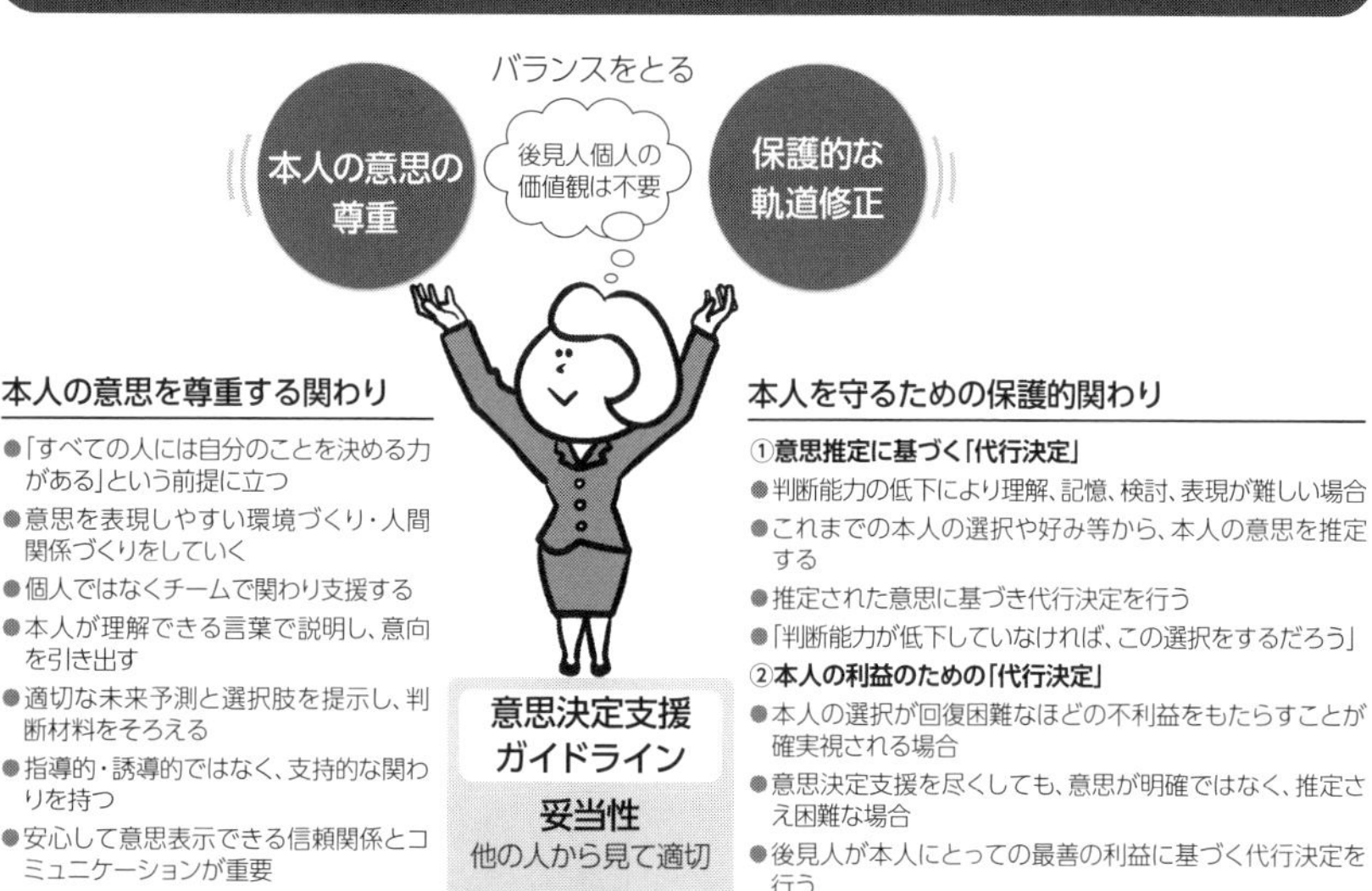

参考：「意思決定支援を踏まえた後見事務のガイドライン」をもとに筆者作成

2 後見人になったら、まず何をするの？

本人や関係者と面会し、通帳や書類を預かる

法定後見では、家庭裁判所が後見人を選任し、2週間の不服申立期間が過ぎたら、後見人としての仕事が始まります。任意後見では、本人が認知症になり、家庭裁判所に申立てをして任意後見監督人が選ばれたら開始。生前事務の委任契約があれば、本人から申し出があった時に、任意後見受任者としての活動開始です。

まずは**本人と面会**して挨拶をし、状況確認をします。家族がいる場合には、家族に会うこともあります。そして、財産の管理や支払いなどをおこなうために通帳や重要書類を預かります。通常、**預かり証**を発行し、預かったものを明確にしておきます。

同時に、本人を支援する関係者（ケアマネジャー、施設や病院の相談員など）と打ち合わせ。後見人の仕事が始まったことを伝え、これまでの本人の生活や支援の内容、今後の生活について話し合います。

家裁に書類を提出、後見人の届け出からスタート

また、預かった通帳や書類をもとに、**財産の一覧表（財産目録）**を作成。本人の財産を適切に管理し、今後の生活を組み立てていく上で必要なことです。さらに、**今後の本人の生活**や後見人の仕事内容について計画を立て、収入と支出のバランスを計算した予定表も作成します。これらは、法定後見の場合は家庭裁判所に、任意後見の場合は後見監督人に提出。生前事務の委任契約では、本人に確認してもらいます。

後見開始が決まったことは法務局に記録され（後見登記）、後見人は本人の**後見人となったことの証明書（登記事項証明書）**を取得し、役所や銀行等へ届け出ます。これによって、後見人の仕事ができるようになります。

登記事項証明書(法定後見)

登記事項証明書

後見

後見開始の裁判
【裁　判　所】東京家庭裁判所
【事件の表示】令和○年（家）第○○○○号
【裁判の確定日】令和○年○月○日
【登記年月日】令和○年○月○日
【登記番号】第XXXX－XXXX号

成年被後見人
【氏　　名】○○○○
【生年月日】昭和○年○月○日
【住　　所】東京都○○区○○○○
【本　　籍】東京都○○区○○○○

成年後見人
【氏　　名】○○○○
【住　　所】東京都○○区○○○○
【選任の裁判確定日】令和○年○月○日
【登記年月日】令和○年○月○日

上記のとおり後見登記等ファイルに記録されていることを証明する。

令和○年○月○日

東京法務局　登記官　○○○○　印

［証明書番号］　XXXXXXXX　（1／1）

登記事項証明書(任意後見)

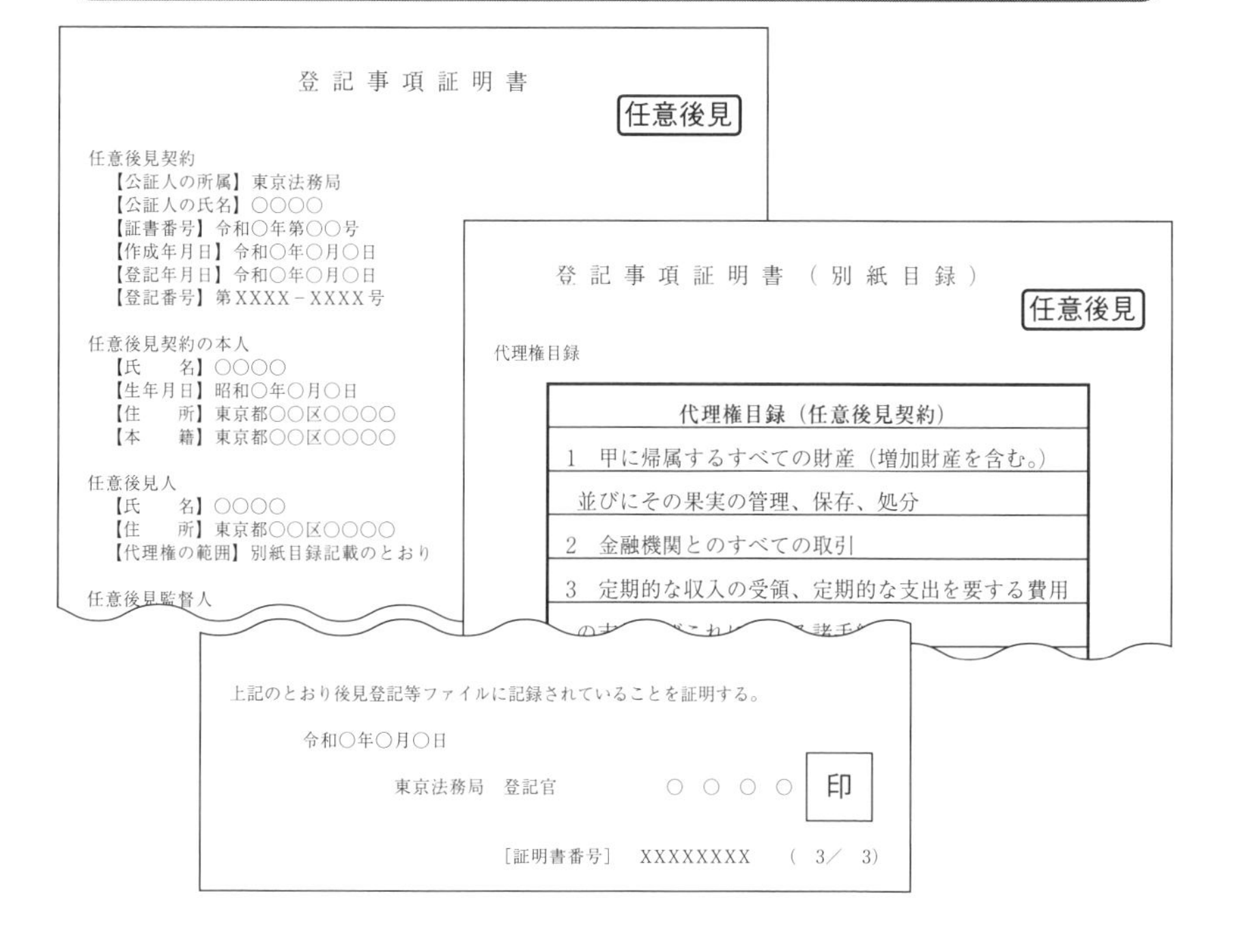

登記事項証明書

任意後見

任意後見契約
【公証人の所属】東京法務局
【公証人の氏名】○○○○
【証書番号】令和○年第○○号
【作成年月日】令和○年○月○日
【登記年月日】令和○年○月○日
【登記番号】第XXXX－XXXX号

任意後見契約の本人
【氏　　名】○○○○
【生年月日】昭和○年○月○日
【住　　所】東京都○○区○○○○
【本　　籍】東京都○○区○○○○

任意後見人
【氏　　名】○○○○
【住　　所】東京都○○区○○○○
【代理権の範囲】別紙目録記載のとおり

任意後見監督人

登記事項証明書（別紙目録）

任意後見

代理権目録

代理権目録（任意後見契約）
1　甲に帰属するすべての財産（増加財産を含む。）
並びにその果実の管理、保存、処分
2　金融機関とのすべての取引
3　定期的な収入の受領、定期的な支出を要する費用

上記のとおり後見登記等ファイルに記録されていることを証明する。

令和○年○月○日

東京法務局　登記官　○○○○　印

［証明書番号］　XXXXXXXX　（3／3）

3 後見人は普段どんなことをしているの？

「何気ない日常」を作るのは後見人

次に、後見人が日常的におこなう仕事です。

まず、定期的に**本人と面会**し、状況の確認をします。たとえ会話ができない場合でも、本人の状態や周囲の状況を確認することで**生活が見え**てきますし、言葉かけに反応してくれる人も多いです。専門団体では月1回程度の面会を推奨するケースが多いようです。

本人を支える関係者（ケアマネジャーや相談員など）とも、面会や電話などで日常的に状況確認や情報収集をします。本人の状況に変動が少なければ、半年から1年に一度ほどのペースでケアプランや支援計画の説明を受け、話し合ったりします。後見人も、常に本人を見られるわけではありません。また、日常生活を支えるのはケアマネジャーやヘルパーといった支援者の役割。後見人は**支援体制を確認**して、改善の必要があれば、本人の代わりに支援者と相談します。

そして、本人の年金や各種収入が口座に入っているか、金融機関で**記帳**して確認。水道光熱費や介護・医療の費用など様々な**支払い**をおこないます。なるべく口座自動引き落としを利用しますが、病院や業者によっては振り込みしかできないことがあります。

役所や銀行、証券会社、年金事務所などから届く様々な**書類を確認**することも後見人の仕事。郵便物については役所や銀行などに届け出をすれば後見人の元に届きますが、事情があれば期間限定で、後見人に転送される手続きが可能になりました。*書類を確認して、必要があれば処理をします。たとえば、介護保険や健康保険など、役所関係の手続きが意外とあります。

お金の出し入れをはじめ、**後見人としておこなった活動は、すべて記録**します。とくにお金については、間違いがないように1円単位で出納帳をつけます。

＊平成28年施行の改正法にて、郵便転送の手続きができるようになったが、成年後見のみを対象とし、保佐・補助・任意後見には適用されない

ある後見人の1日

9:00	朝一番で銀行へ行き、**今月分の記帳**をおこなう。ちゃんと年金が入っている。光熱費の金額も大きな変化はない。銀行3つ、信用金庫1つ、郵便局で記帳。郵便局で、先週業者にやってもらった庭の手入れの**費用を振り込む**。本人に渡す**生活費**も下ろす。
10:00	役所に移動。健康保険の窓口で、先週ハガキで連絡が来た**高額療養費の手続き**。結果は後見人のところに郵送してくれるとのこと。
11:00	事務所に戻って郵便物の確認。銀行から定期預金の**満期のお知らせ**が届いていた。今のところ普通預金でお金が足りているので、契約は自動継続のままでよいと判断。
12:00	スタッフと一緒に、昼のお弁当を食べる。後見人は健康が第一。野菜もとらなくては。
13:00	午後からの訪問のために、電車で移動。スマートフォンでニュースを確認。
13:30	ケアマネジャーと待ち合わせをして、ご本人の自宅を訪問。1か月ぶりにお会いする。隣に住むご本人の妹さんも来てくれた。妹さんも高齢だが元気で、普段の買い物をやってくれている。 ご本人と様々なお話をする。最近のことはなかなか覚えられないが、昔のことはよく話してくれる（亡くなったご主人との馴れ初めの話、仕事で大変だった話など）。 **ケアプラン**についても確認。普段はデイサービスに行く日が多く、にこやかに過ごしているとのこと。また、来月には関係者が集まり、**今後の生活について話し合う**ことになった。日程調整はケアマネジャーに依頼する。 認知症は少しずつ進んできており、将来、**自宅で暮らせなくなる時期が来る**と予想される。本人に尋ねると、時々ひとりでいるのが心細く感じる日があるとのこと。将来の施設や高齢者住宅への引越しを念頭に、ショートステイの利用も検討。 妹さんに生活費を渡し、**受領証と先月分のレシート**をもらう。
15:30	事務所で記帳の内容をパソコンに入力していると、ケアマネジャーよりファクスでショートステイ施設の一覧表が送られてくる。予約をするにしても、先のことになるとのこと。 電話でご本人に合いそうな施設を聞き、ホームページを確認。食事に力を入れているようで、良さそうな施設だ。来月、改めて皆で相談しよう。
16:00	記帳の入力の続きをする。今日の**訪問記録**についても入力。 普段こまめに記録をつけていれば、家庭裁判所への報告の際に慌てなくてすむ。
16:30	**火災保険**の保険会社より電話。再来月で更新とのこと。必要書類を後見人に送付するよう依頼する。毎年のことなので、保険会社も慣れている。書類が届いたら更新契約をすることをメモしておく。 ご本人は隣に妹さんがいても、**ひとり暮らしに不安**があるのかもしれない。よく話して、今後のことを決めていこう。

法定後見の場合は年に一度、財産の現状と収支、後見活動を家庭裁判所に報告します。任意後見の場合は3か月に一度としていることが多いようですが、任意後見監督人（生前事務の委任契約の場合は本人）に報告をします。

入院／介護

4 本人に入院や介護が必要になった時は？

いざという時に、後見人がやること

階段で転んでしまった、突然胸が苦しくなった、検査結果が思わしくない……シニア世代になると入院の機会も増えます。後見人は、本人や家族、関係者に携帯電話の番号を知らせたり、名刺を渡したりして、緊急時にもすぐに連絡が入るようにしています。

本人が入院したという知らせがあれば、当日か翌日には**病院へ駆けつける**ことが多いです。予定入院の場合は、日程を合わせて立ち会います。入院の手続き、医師からの病状・治療に関する説明、看護計画の説明などを受け、病衣やタオルのレンタル契約などをします。家族や関係者と協力して必要な物品を手配し、病院によっては**保証金の支払い**もします。

何より重要なのは、本人に会って、**安心してもらう**こと、本人が**望む治療について病院に伝える**ことです。

任意後見であれば事前に様々な意向を聞いているので、それを伝えます。法定後見の場合も、可能な限り本人とコミュニケーションを図り、医療スタッフと一緒により良い治療を考えていきます。

また、高齢の方の多くは介護保険を活用します。要介護認定の手続きをし、認定されたら生活のどの部分にどんなサポートが必要か、リハビリや療養生活をどうするかなど、ケアマネジャーを中心に計画し、介護サービスを手配。後見人は**ケアマネジャーと密に連携**して、本人との面会で気づいたこと、不足していること、本人の希望などを伝えます。介護サービスの契約や支払いもおこないます。ケアマネジャーを中心に関係者が定期的に集まり、**本人の生活の今後のサポート方針を決めるカンファレンス（サービス担当者会議）**には後見人も参加。現状を把握して、本人の希望を伝え、方針についてのゴーサインを出すこともあります。

本人の入院で後見人がやることの例

入院準備	・病状について**医師より説明**を受け、本人や関係者と話し合い、入院を決める ・必要な物品、入院日時を確認 ・着替えや保険証の準備を家族やヘルパーに依頼 ・申込書などの書類への記入 ・(場合により)入院中の自宅の整理やペットの世話などの手配　　など
入院当日	・本人の自宅からタクシーで一緒に向かうか、病院で待ち合わせ(介護はヘルパーに依頼) ・**入院手続き**、病衣やタオルなどの**レンタル契約**、**保証金**の支払い ・看護計画やリハビリ計画の確認、相談員に挨拶 ・医師から治療・検査についての説明を受ける ・保険証等の書類、自宅の鍵などの預かり　　など
入院中	・本人との**面会**、医療スタッフ・相談員からの状況確認 ・家族や関係者などと協力して**不足物品**の手配 ・医師・看護師・リハビリスタッフなどとの面談、治療方針や経過の確認 ・(長期入院の場合)医療費の支払い　　など
退院準備	・**治療の経過**や**退院後の注意点**などを本人・家族・ケアマネジャーなどとともに確認 ・退院後の介護体制について家族・ケアマネジャーと相談、ケアプラン作成の依頼 ・必要な**介護サービス**との契約 ・介護タクシーなどの手配(ケアマネジャーや相談員に依頼する場合もある) ・退院日の調整、退院日の介護サービスの依頼、入院費の確認　　など
退院日	・**退院の手続き**、**入院費**の支払い ・(場合により)自宅や施設まで同行(介護はヘルパーに依頼) ・保険証等の書類、自宅の鍵などの返却、生活費の引き渡し ・ケアマネジャー・ヘルパーなどへ引き継ぎ　　など

介護・医療の支援体制

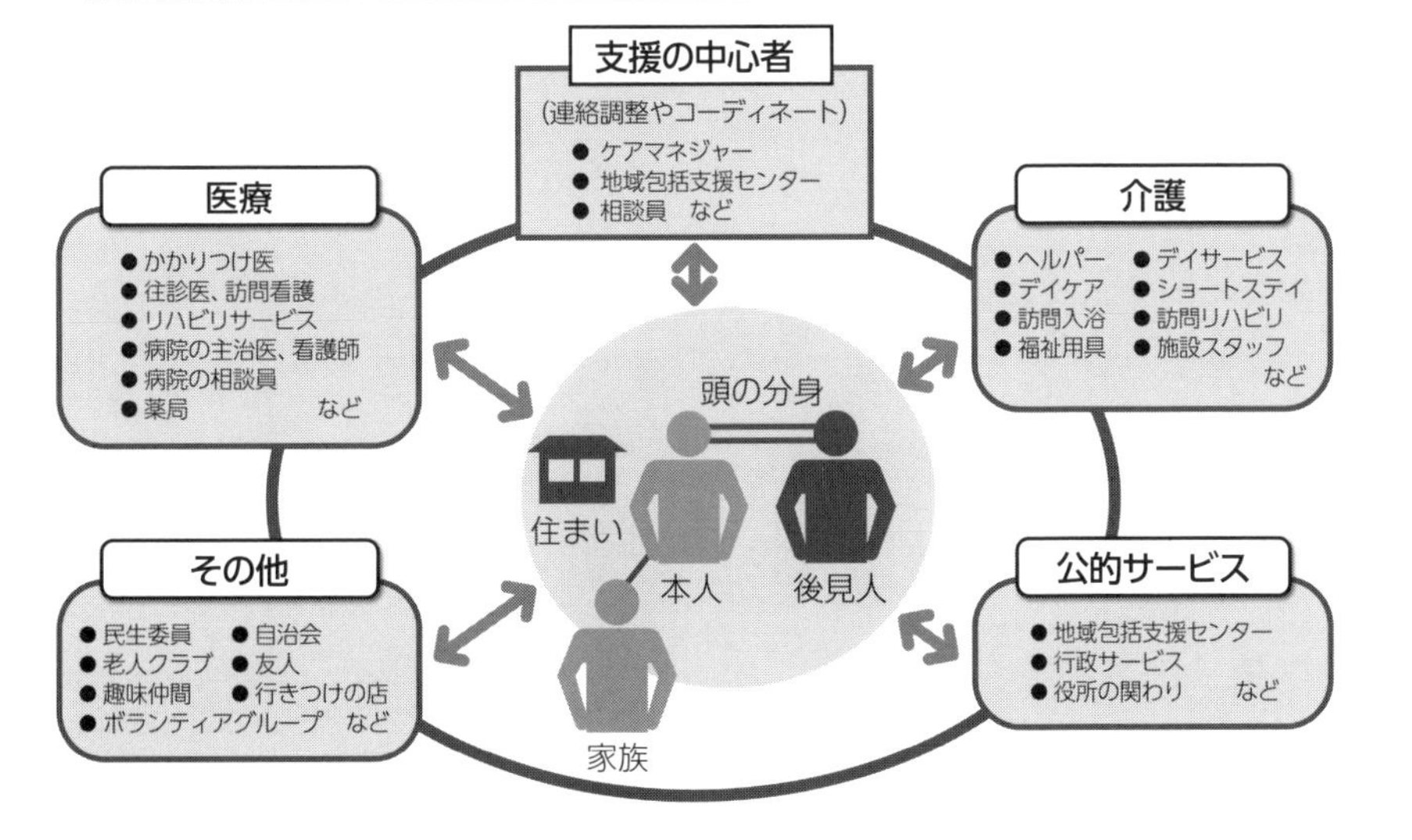

5 転居や施設入所が必要になったら？

どこで暮らすか、住まいは生活の基本

高齢になると、自宅での生活を不便に感じたり、ひとり暮らしが難しくなったりします。一番大事なのは、本人がどこで暮らしたいか。後見人は、意思疎通が可能な限りは本人の意思を確認し（任意後見なら判断能力が低下する前に確認）、本人をよく知る家族やケアマネジャーなどにも話を聞きます。

退院後の療養生活の場所には様々な選択肢があります。自宅にしても一軒家、マンション、アパート、サービス付き高齢者向け住宅などがあり、施設も介護施設、リハビリ施設、有料老人ホームなど様々です。交通の便や周辺環境など、考える要素はたくさん。後見人は本人の希望にそいつつ、経済状況や身体・精神的な状態を踏まえ、**最も適した住まい**を選びます。状況と必要性に応じて、本人と一緒に見学もします。最終的に手続きするのは後見人ですが、住まいはとても重要なので独断はしません。本人と意思疎通できない場合でも、**家族や介護・医療関係者と話し合って**客観性・妥当性のある決定をします。

住まいが決まれば、契約や支払いが発生します。申し込み手続きに住民票や診断書が必要であれば、そうした準備も後見人が中心となっておこないます。

その後、病状によっては**自宅に戻れない**こともあります。本人がひとり暮らしで自宅に住む家族が誰もいない場合は、賃貸なら解約、持ち家なら売却することもあります。ただし、「自宅」は本人にとって思い入れのある場所。**後見人は勝手に処分できません**。家庭裁判所に自宅に戻れない事情や処分せざるを得ない事情を説明し、必ず許可をもらいます。自宅以外の不動産は必要に応じ後見人の判断で処分できます（法定後見で監督人がついている場合は同意が必要）。

主な高齢者の住まいと特徴

種類	特徴
自宅(戸建て)	設備によってはバリアフリー工事などが必要。庭の手入れや近所付き合いなども。
自宅(マンション、アパート)	戸建てと比べると地域とのつながりが希薄になり、孤立しやすい点に注意。
シルバーハウジングなどの賃貸住宅	**緊急通報装置**や相談員の訪問などがある、高齢者に配慮されたバリアフリー賃貸住宅。
家族と同居	安心感があるが、本人・家族ともストレスや不満を抱えやすい面も。
特別養護老人ホーム	**要介護３**以上が入所できる介護保険の介護施設。**満室で待機**する場合が多い。
軽費老人ホーム・ケアハウス	比較的費用が少なく入所できる個室の施設。重度になると住み替えが必要な場合も。
有料老人ホーム(介護付)	食事や介護のサービスが受けられる施設。様々な種類があるが特養ホームよりは高額。施設によって雰囲気や職員の対応、特色などが違うので、**事前の調査**が欠かせない。
有料老人ホーム(住宅型)	食事や緊急時対応が受けられる住宅型の施設。介護は施設外部のものを利用するが併設も多い。入所者には健康な人も多い。
サービス付き高齢者向け住宅	賃貸なので、一時金が発生しない高齢者住宅。在宅向けの介護サービスを利用する。**介護付きの施設とほぼ変わらないサービスを受けられるところ**もある。入居者は健康な人から要介護の人まで様々。必ず事前に調べて見学する。
認知症高齢者グループホーム	認知症の人が５～９人で暮らす家庭的な施設。重度の要介護に対応できないホームもある。
その他	病院やリハビリの施設(老人保健施設)、療養型医療施設、介護医療院など、住まいではないが療養生活を送る場所がある。

後見人による住まい選びのチェックポイント

本人の希望	・任意後見であれば元気なうちに聞き取っておく ・法定後見の場合は、家族や関係者と相談して、本人にとってより良い環境を考える
場所や環境	・最寄り駅からの距離、コンビニやスーパーなどの周辺環境を確認 ・家族や友人などが来る場合は、アクセスの良さは重要
費用	・入居金の有無、月々の家賃や共益費、介護サービスの料金を確認(1か月の合計費用は必ず聞く) ・財産や収入と照らし合わせて計算することも重要
施設の設備	・バリアフリーや移動のしやすさ、部屋の数や広さ、据置家具などの設備面を確認 ・共用部分の風呂場や食堂(リビング)、生活フロア、リハビリルームなどくまなく見る
雰囲気	・掃除が行き届いているか、見学時に挨拶があるかなど、**施設の雰囲気も非常に重要**
サービス	・基本サービスの内容、掃除の回数、入浴の頻度、食事の内容、レクレーションや趣味の活動、施設外への外出レク、医療面の対応(看護師の在駐時間)、入院時の対応など様々なことをチェック

自宅などに住む場合は、在宅介護・医療との連携体制が欠かせません。また、住まい選びの際に一緒に見学し、確認すべきポイントをアドバイスしてくれる仲介業者もあります。

相続

6 本人が遺産を相続することになったら？

後見人が手続きして本人が受け取る分を確保

本人が遺産を相続するために、後見人が様々な手続きをすることもあります。たとえば、相続手続きをするために後見人をつけた場合、成年後見の手続きで財産を調べていたら亡くなった親族（配偶者、親、きょうだいなど）の財産が新たに見つかった場合、後見人がついた後で本人の親族が亡くなった場合などです。

後見人はまず、被相続人（亡くなった人）が遺言をしていないかを確認します。**遺言の有無で、相続の手続きの流れが変わる**からです。重要書類や貸金庫の中に自筆の遺言がないか、場合によって法務局や公証役場に問い合わせもします。有効な遺言があれば、基本的にはそこに書かれている通りに相続が進みます。

民法上、**遺言がない場合**に相続人となれる人を**「法定相続人」**といいます。後見人は、本人が法定相続人であると証明するために、被相続人の出生から死亡までのすべての戸籍を取ります。その人の実子や養子、孫、それがいなければ親、親が亡くなっていればきょうだいや甥姪まで調べ、法定相続人の人数や住所などを明らかにします（銀行などでの手続きでも一連の戸籍が必要）。

同時に、銀行などの窓口で本人の代わりに問い合わせ、遺産がどこに、どのくらいあるのかも調べます。

遺言がない場合は、戸籍によって明らかになった相続人全員に連絡して、**遺産をどう分けるか**を話し合います。その際、後見人は本人のために、少なくとも**「法定相続分」**は受け取ることが一般的。もし、他の相続人の中に判断能力が低下し、話し合いができない人がいたら、その人にも後見人が必要です。

話し合いがまとまったら法的な書類を作成し、後見人を含めた全員の実印を押印（遺産分割協議書）。相続人が本人のみの場合は、原則的にすべてを相続します。書類の準備が整ったら、銀行や郵便局、証券会社や法務局（不動産）などに持参して、本人名義に変更する手続きをし、必要であれば相続税の手続きもおこないます。なお、相続した財産は、本人の**臨時収入として家庭裁判所に報告**します。また、遺産を調べる中で、借金などの負債が多かった場合は、**相続放棄**についても検討します。

相続に関する基本的な知識（遺言がない場合）

法定相続人とは？ ＝ 遺言がない場合に、遺産を相続する人（民法により決められている）入籍している配偶者は常に法定相続人

①子がいる場合
配偶者&子　配偶者がいない場合は子のみ　※養子は子と同じ
子が死亡している場合は、孫→曽孫→…

↓ 子や孫がいなければ…

②親が存命の場合
配偶者&親　配偶者がいない場合は 親　※養親は親と同じ
親が死亡している場合は、祖父母→曽祖父母→…

↓ 両親や祖父母などが死亡して、いなければ…

③兄弟姉妹や甥姪がいる場合
配偶者&きょうだい　配偶者がいない場合は きょうだい
きょうだいが死亡している場合は、甥姪（甥姪の子には行かない）

↓

③と配偶者がいなければ法定相続人は、いない（原則的に国庫へ）

法定相続分とは？ ＝ 遺言がない場合に遺産を分ける目安。話し合いで変更可能

①子がいる場合	配偶者 [$\frac{1}{2}$]、子（全員で等分） [$\frac{1}{2}$]
②親が存命の場合	配偶者 [$\frac{2}{3}$]、親（全員で等分） [$\frac{1}{3}$]
③兄弟姉妹や甥姪がいる場合	配偶者 [$\frac{3}{4}$]、兄弟姉妹（全員で等分） [$\frac{1}{4}$]

子は非嫡出子も同じ割合（父の相続の場合、認知必要）

異父や異母のきょうだいは、両親が同じきょうだいの1/2

※ ①〜③がいなくて、配偶者のみの場合は、100%配偶者

7 本人が最期を迎える時は？

後見人は人生最期の付添人

人生の終盤に付き添う後見人は、本人の最期に立ち会うことになります。最期を迎える場所は、本人の気持ちが反映された場所、本人が安心できる場所であるべき。しかし、病状や置かれた状況によって選択肢は限られます。任意後見ならばあらかじめ聞いておいた希望を、法定後見であれば本人が落ち着ける環境を第一に考えつつ現実的に判断します。実際には、ホスピスなどを含む病院や普段暮らしている施設、高齢者住宅などが多いです（同居の家族と在宅診療や介護サービスなどが整っていれば、自宅も不可能ではありません）。

また、**処置や治療を「どこまでするのか」**も重要。延命だけを目的とする処置はしてほしくないという人もいれば、可能な限り治療してほしいという人もいるからです。それを決めるのは、後見人ではなく本人であるべきです。任意後見なら聞いておいた希望を医療スタッフに伝えられますが、法定後見では本人の意思を確認できない場合も多く、家族や関係者、医療スタッフとともに**本人にとって一番良い最期の迎え方**や治療について相談します。

本人から「連絡してほしくない」と言われていない限り、最期が迫ったら近親者へ連絡します。見舞いに来る場合、来ない場合、中には「**もう連絡してくれるな**」と拒否される場合もありますが必要なことです。

本人が最期を迎える時、緊急連絡先に指定した親族か後見人のところに連絡が来ます。息を引き取る瞬間に立ち会えることも、残念ながらタイミングが合わずに、駆けつけた時には亡くなっていることもあります。医療・介護スタッフとともに**最期のお別れ**をし、親族にご遺体の引き取りをお願いします。

本人に親族がいない場合や、関わりを拒否されている場合など、立ち会うのが後見人のみとなることもあります。任意後見の契約時に**死後事務の委任契約**もしていれば、後見人が葬儀の手配などをおこないます。病院や施設などへの支払いが残っていることが多いので精算手続きをします。なお、法定後見では後見人の立場でいられるのは**本人の存命中**というのがルール。しかし、本人に身寄りがない場合はそのままにしておけないので、家庭裁判所に相談し許可をもらい、火葬や埋葬の手続きなどを後見人がおこないます*。

家庭裁判所には、本人が亡くなったことと、死亡までの出納帳や財産の動きについて報告します。本人に関する支払いなどを終えて精算した財産は、**相続人**へと引き渡します。後見人としては、**相続の手続きまではできません**（法律の専門家が後見人の場合は、本人の後見とは別に、遺族から相続の手続きを依頼されて引き受けることもあります）。**相続人がいない場合は**、相続財産管理人を家庭裁判所に選んでもらう手続きをして財産を引き継ぎます。

本人の死亡による後見活動の終了（法定後見の場合）

最期が近づく
↓
親族などへの連絡
↓
臨終の看取り（場合により緊急連絡で駆けつける）
↓
家庭裁判所へ死亡の連絡
法務局（後見登記）に被後見人死亡による終了の登記
病院や施設などへの支払い、精算
↓
財産目録、収支報告、後見活動の記録などを家庭裁判所に提出
↓
遺産を相続人に引き渡し、受領証をもらう
受領証を家庭裁判所に提出
↓
後見人としての活動終了

＊平成28年施行の改正法にて、成年後見人の死後事務の内容と手続きが明確化された。しかし、成年後見のみを対象とし、保佐・補助・任意後見には適用されない

8 家族が後見人をする時のポイントは？

後見人のルールを理解しよう

専門家ではない親族が後見人をすることになった場合の、主な注意点についても紹介します。

銀行口座や不動産など本人名義の財産は、**たとえ家族でも「他人の財産」**。この意識をもつことが非常に重要です。無駄なく適切に管理するのはもちろん、「本人のため以外には使えない」という点を常に意識しましょう。家族のものは家族のお金で支払い、原則的に**別会計**にします。本人の財産から支出したものはすべて出納帳につけ、**領収証も保管**しておきます。

家庭裁判所や後見監督人に提出する書類も、きちんと作成して報告しましょう。親族だからと大目に見てもらえるわけではありません。厳しいかもしれませんが、書類の作成や報告が適切にできなければ、後見人としてふさわしいとはいえないのです。

後見人の仕事は、本人の財産を適切に使って、本人の望むより良い生活をかなえること。親族であっても勝手に**財産をあげる（贈与する）ことはできません**（扶養義務がある親族と家計が一緒であった場合などは家庭裁判所に相談）。また、財産を減らす可能性があるため、**投資や投機的行為**も禁止。相続の節税対策（生前贈与や生命保険、不動産活用など）もできないので注意が必要です。後見制度は、本人の生活を家族の思うままにするものではありません。**遺産を減らさないために支出をしぶる**ことなども、趣旨に反します。判断に迷うことがあれば、家庭裁判所に相談しましょう。

ご家族には、ともに生きてきたからこそわかる、本人の好みや気持ちもあるでしょう。制度の趣旨や後見人の仕事をよく理解した上で、後見人となるかどうか検討してほしいと思います（法定後見では、家庭裁判所から選ばれない可能性もあります）。

親族後見人の心得8箇条

- 自分の価値観は横に置いて、**本人が望む生活**をかなえる
- 介護や医療、住まいのことなどは、支援関係者によく相談する
- **本人の財産は「他人の財産」**と肝に銘じて、責任をもって管理する
- 「本人のお金」と「自分のお金」は明確に分ける
(本人のお金は本人のため以外に使わない)
- お金を使ったら出納帳をつけ、後見人としておこなったことはすべて記録する
- 契約書、通知書、請求書、領収証などの**書類は保管**しておく
- **提出書類はきちんと作成**し、後見監督人や家庭裁判所に報告する
- 判断に迷ったら、後見監督人や家庭裁判所に相談する

後見監督人の仕事

- 後見人が作成する財産目録や収支報告などの**書類や資料の確認**
- 後見人が本人に対して債権や債務がある場合の確認
- 財産目録や後見活動の報告書など**書類提出を求める**
- 後見人の活動内容、本人の財産状況などの調査
- 家庭裁判所に**処分を求める**手続き、後見人**解任の手続き**
- 後見人がいなくなった時に後任を選任する手続き
- **急な事情がある場合に、後見人の代わり**に必要な行為をする
- 後見人と本人の**利害が対立した時に、本人の代わり**に手続きする
- 後見人が不動産の処分など重要な財産上の行為をする際の同意　など

たとえば、本人(母親)の後見人を息子がやっていて、本人の夫(父親)の遺産を相続する場合などは、息子は相続人の後見人であると同時に自身も相続人である**二重の立場**となります。本人が受け取る遺産を減らすことが、自分の受け取り分を増やすことにつながる、「**利害対立の関係(利益相反)**」となるので、このような場合は、後見監督人が本人の代わりとなって、息子と遺産分割の話し合いをおこないます。

後見人の解任・辞任

9 後見人を解任したい時、辞めたい時は？

不正や横領の証拠がないと辞めさせられない

後見人の解任（辞めさせること）は可能ですが、不正な行為や横領をしているなど、適切な後見活動をせず本人が被害を受けていることが条件で、家庭裁判所が審査・決定します。家族と意見が合わないだけでは認められません。また、本人の判断能力が回復しない限り後見人は必要なので、**別の後見人**が新たに就任することになります。あくまでも本人を守り、安心・安全な生活をかなえるための解任に限られます。

法定後見の場合は、本人・親族・後見監督人などが家庭裁判所に解任を請求。家庭裁判所の判断で解任することもできます。任意後見の場合は、将来に後見人を頼む契約をしただけで、まだ判断能力が低下していない段階なら、本人・受任者の双方から、**いつでも解約可能**。公証役場で手続きをします。判断能力が低下した後は、本人・親族・任意後見監督人から家庭裁判所に任意後見人の解任を請求します。

なお、不正行為をした後見人は、解任後に**損害賠償請求**をされるとともに、業務上横領などの罪で逮捕や起訴される可能性もあります。**親族も例外ではありません**。また、不正の証拠があればすぐに解任を求めますが、明確な証拠はないが怪しいという場合は、必要に応じて専門団体や家庭裁判所に指導してもらうこともできます。

後見人は自ら辞任できます。しかし、転勤で本人の居場所から遠く離れるとか、後見人自身が病気や高齢で動けないなど、後見活動ができない正当な理由が必要。家庭裁判所の審査・許可も必要で、**勝手に辞めることはできません**。後任の後見人を選んでもらう手続きをして、きちんと引き継ぐことも求められます。後見人には、それだけ重い責任があるのです。

手続きとしては、家庭裁判所に後見人辞任許可の申立てと、後任の後見人選任の申立てを同時におこない、理由を説明し判断を仰ぎます。

また、障害のある人の親が後見人になる場合は、将来、後見人自身が認知症などで適切な後見活動ができなくなる可能性もあります。本人よりも後見人がかなり年上の場合は、家庭裁判所と相談して、**辞任と引き継ぎの時期**を打ち合わせておくことも重要です。

なお、後見人が破産手続開始の決定を受けたり、後見人や後見人の親族が本人に対して訴訟を起こしたりした場合などは、自動的に後見人の地位を失います。

後見人の解任や後見人が自ら辞任する条件の例

解任できるケース	解任が難しいケース
●不正や横領をしている（証拠あり） ●後見人が罪を犯した ●適切な後見活動をおこなわず本人が被害を受けている（後見活動をまったくしない、放置している、失踪してしまった、一切連絡がつかないなど） **→本人の判断能力が回復していない限り、別の後見人が選ばれることになる**	●不正や横領などの明確な証拠がない **→家庭裁判所や監督人は、後見人に財産などに関する書類の提出や報告を求めることができる** ●家族の希望や方針に合わない ●後見人が気に入らない ●後見人が通帳などを見せてくれない ●家族に報告がない

辞任できるケース	辞任が難しいケース
●転勤などで本人のいる場所から遠方に転居 ●健康上の問題で後見活動の継続が難しい ●高齢のため他の人に引き継ぎたい ●本人との信頼関係が著しく悪化し、修復困難 **→本人の判断能力が回復していない限り、別の後見人が選ばれることになる**	●後見人の活動が予想よりも負担が大きかった ●面倒になった、嫌になった、気が変わった ●後見人の責任を知らずに後見人になった **→必ず家庭裁判所で説明を受けているはず** ●領収証の保管や支出の区分けが大変

※解任・辞任については、家庭裁判所が審査・決定（許可）する

「後見人を辞めさせたい！」と思う前に

- 成年後見についてよく理解する
- 後見人との付き合い方を知って、話し合う
- 専門団体に相談してみる
- 家庭裁判所に相談してみる
- 市町村や中核機関に相談してみる

※家庭裁判所、専門団体、市町村・中核機関には、後見人に対する苦情窓口対応が求められている

必要に応じ、説明をしてくれたり、後見人を指導する場合も

成年後見とあわせて知っておきたい方法

民事信託

最近、少しずつ話題に上がるようになっているのが**「民事信託」**です。成年後見ではできない「判断能力が低下した後の積極的な資産運用」ができるしくみということもあり、注目されています。簡単にご紹介しましょう。

民事信託というのは、**「自分の財産」を、特定の目的をかなえるために信頼できる家族に託し、管理や運用・処分などをしてもらう**ものです。たとえば、次のような形です。

・賃貸アパートを経営する人が、自分が管理できなくなっても家賃収入を得られて、良い物件があれば買い増すこともできるように、娘に不動産と預金の管理・処分を託す

・預金に余裕のある人が、自分が認知症になった後も資産運用を続けられるように、息子に証券や預金の一部の管理・運用を託す

信託の契約をすると、管理の便宜上、財産の名義は信託を引き受けた家族に変わります。だから、**自分が認知症になっても、身体が不自由になっても、便宜上の名義人である家族が管理できる**のです。もちろん引き受けた家族は、自分自身の財産とは区別し、名義も信託専用のものになります。そして、その財産は信託の目的にしか使えません。

信託の目的は、自分のためでなくてもかまいません。たとえば次男に銀行口座の管理を託して、その口座から障害のある長男に生活費を定期的に渡すといったこともできます。これは、一度契約してしまえば、**自分が亡くなった後も**続きます。また、財産は管理する次男の信託専用の名義になっているので、相続の対象にもなりません。

信託の目的を組み合わせることもできます。はじめは自分のために財産を管理してもらい、自分の死後は、障害のある子の生活費のために管理してもらうなども可能なのです。

ただし、この信託で託せるのはあくまでも**「自分の財産」のことのみ**。成年後見のように、生活の組み立てに関する権限は託せません。また、信頼できる家族がいることも条件となります。信託の契約ができるだけの判断能力も必要なので、本人がしっかりしているうちにおこないます。複雑な制度のため、民事信託に詳しい専門家への相談

をおすすめします。

日常生活自立支援事業

ごく軽度の認知症や知的・精神障害などで「自分で通帳や証書の保管や福祉サービスの契約をすることに不安がある」という人は、**「日常生活自立支援事業」**が利用できます。**市区町村の社会福祉協議会**（P62）が窓口になっており、主なサービス内容は左記の通りです。

・福祉サービスの利用援助（福祉サービスの利用案内、相談、申し込みや契約の代行、苦情解決の支援など）
・重要書類の預かり（通帳や証書、契約書などの保管）
・日常的な金銭管理（預貯金の出し入れや生活費の引き渡し、様々な支払いなど）
・定期的な訪問による状況把握や相談対応（月1回程度が多い。判断能力低下への相談も含む）

これらはすべて、本人の意向や指示に基づいておこなわれます。相談にはのってくれますが、決めるのは本人。**全面的にお任せすることはできません。**

また、契約する能力が必要なこと、頼めるのが日常的な金銭管理と福祉サービスの利用に限定されること、**高齢者住宅への入居や入院、その他の契約を代わりにしてくれるわけではない**ことなどが成年後見との違いです。

軽度の認知症や知的・精神障害などがある人が対象でありながら、利用するには社会福祉協議会と契約できるだけの**判断能力（契約内容を理解できる能力）が必要**というと少々わかりにくく思えますが、契約前に審査があり、そこで判断能力を確認されます。申し込んだものの、審査の結果、対象とならなかったという場合もあります。とくに、一つ一つの行為に対して判断ができない場合は、この制度ではなく**法定後見の利用をすすめられる**でしょう。

また、日常生活自立支援事業を利用するようになった後で判断能力の低下が起きた場合は、契約は終了。やはり、法定後見を利用することになります。

日常生活自立支援事業の利用にかかる費用ですが、契約までの相談は無料。契約後は収入の額やサービス内容などによって異なりますが、月に1200～3000円程度が多いです（生活保護を受けている人は無料）。

具体的なサービス内容や料金は、それぞれの社会福祉協議会によって違うので、確認が必要です。

後見人にできること

財産の管理	・通帳や証書など重要書類の保管、銀行でのお金の引き出しや支払い ・年金などの入金確認や、証券の管理や解約、不動産の管理や売却　など
生活環境の整備	・施設を含めた住まい探しや契約（更新・解約）、リフォーム ・介護・医療等サービスの調整や契約、支払い　など
役所をはじめとする様々な手続き	・介護保険などのサービスの利用手続き、医療還付金の手続き ・新聞や食料品等の定期購入契約など、生活上の様々な手続き　など
緊急時の対応	・入院の手続きや親族への連絡 ・急変時の治療方針の相談、医師から病状の聞き取り、看取りの立ち会い　など
より良く暮らすための話し合い	・本人がより自分らしく、安心・安全に暮らせるように、ケアマネジャーや相談員、医療・介護スタッフなど様々な関係者と話し合う
訪問・面会	・本人の状態や状況を把握するための定期的な面会 ・本人や周囲の人（親族や介護・医療関係者）とのコミュニケーション　など
本人がしたことの取り消しや同意（日常生活に関すること以外）	・本人の不利益になる契約の取り消し（後見） ・保佐・補助の場合は、同意するかどうか判断し、それを契約の相手方に伝える（同意権がある行為に対し、問題がなければ同意、不利益になるなら同意しない）
家庭裁判所への報告（通常1年に1回）	・収支の明細を1円単位で記録し、通帳や領収証のコピーとともに提出 ・後見活動の内容を記録して報告（状況の変化も）

後見人にできないこと

保証人や身元引受人になる（P58）	・後見人（第三者の場合）は、身元保証人や身元引受人にはなれない
身分上の行為（結婚、離婚、養子縁組など）	・本人の結婚や離婚、養子縁組、認知、遺言などの身分上の行為は、後見人の権限の範囲外
手術への同意（P58）	・手術は身体を傷つける行為でもあるため、本人以外は判断できない ・第三者の後見人が同意書にサインをしても法的効力はないため病院と相談
介護や買い物などの事実行為	・食事・入浴・着替えなどの介助、掃除や買い物などはしない（身の回りの世話をする介護等のサービスを契約し、環境を整える）
葬儀などの死後の事務	・後見人の権限（P50）が有効なのは本人の存命中に限られ、死亡後は最低限の支払い・手続き以外は相続人に引き継ぐ（P140）（事情がある場合は、家庭裁判所に相談、許可をもらい火葬埋葬・役所の手続きなどができる場合も） ・任意後見で死後事務の委任契約があれば、希望通りに死後事務をおこなう
本人死亡による相続手続き	・後見人は、本人が亡くなった後の相続の手続きまではできない
本人以外のために財産を使う	・後見人は本人のため以外に財産を使うことはできない（夫婦等扶養義務がある場合などを除く） ・財産を減らす可能性のある投資や投機的な商品の購入もできない ・家族への生前贈与や第三者への贈与、相続税対策などもできない

5章

知らなきゃ損する、成年後見トラブル事例

事例① 後見人に財産をとられた?!

定期預金の解約のため、息子が後見人に

15年前くらいの話です。

Eさん（87歳・男性）は、5年前に妻をがんで亡くし、その後はひとり暮らしをしていました。子どもは息子と娘。2人とも結婚して家庭をもっていたため、「子どもたちには迷惑をかけたくない」という思いもあったのでしょう。同居の誘いを断り、ひとりで生活していました。膝の痛みが出るようになってからは、近くに住む娘さんに車で送り迎えをしてもらって通院。身の回りのことはヘルパーに手伝ってもらい、日々の暮らしは成り立っていました。

しかし、ヘルパーの訪問がある日なのに出かけてしまったり、薬を飲み忘れたり、薬を飲まずに全部捨ててしまったり……ということが増えてきました。ケアマネジャーからすすめられて病院で検査したところ、「認知症」との診断。**家族会議**の結果、「いずれは有料老人ホームに入居しよう」ということになりました。

いくつか施設見学をしていたある日、Eさんが「**うちに泥棒が入った！**」と警察を呼びました。引き出しの中に入れてあったはずの通帳がないとのこと。念のために家の中を探すと、冷凍庫の製氷機の下に、ビニール袋に包まれた通帳が入っているのを娘さんが発見。「認知症は、意外と進んでいるのかも……」と、娘さんはホーム探しを急ぎました。

ホームの入所一時金は480万円。お金のことなので息子さんにも相談すると、「確か、親父は△△銀行に定期があるって言ってたな」。しかし、いくら探しても通帳や証書が出てきません。そこで、△△銀行に事情を話して相談すると、**後見人がつかないと定期預金の通帳の再発行や解約の手続きはできない**と言われました。

「長男だから」ということで、息子さんを候補者に法定後見の申立てを急いでおこない、審理の結果、無事に成年後見人に選任されました。息子さんが、後見の登記事項証明書を持って△△銀行に行くと、手続きは**実にスムーズ**。すぐに定期預金口座を解約して、普通預金口座に移すことができました。有料老人ホームへの支払いも終え、Eさんは無事に入所できたのです。

勤め先の倒産をきっかけに…

後見人となった息子さんは、銀行での手続きの簡単さに驚きました。

「何も言われずに、親父の通帳からお金を下ろせるんだ」

窓口では使い道もとくに聞かれません。金額の制限もなく、**まるで自分の口座のように**手続きができてしまうのです。しばらくは、Eさんのための支出にのみお金を使い、領収証もきちんと保管していましたが、慣れるにつれて徐々にルーズになっていきます。娘さんが「お金はちゃんと管理しているの?」と聞いても、「やってる、やってる」と答えるだけで通帳を見せようともしません。

娘さんが不安に感じていたある時、息子さんの勤める会社が倒産。幸い、すぐに再就職先が見つかったものの、以前と比べて家計は苦しくなりました。

「月々の支払いが少し苦しいな……そうだ! 親父ならこんな時、助けてくれるだろう」

自分自身に余裕があった時は考えもしませんでしたが、経済的に苦しくなるとEさんの通帳残高が魅力的に思えてきたのです。

「いずれ相続で、自分たちがもらうお金なんだし」と、試しに3万円を下ろして生活費にあてました。味をしめて、5万円、10万円……と横領の金額はどんどん大きくなっていきます。**家庭裁判所への報告の際に使途不明金が発見**され、この件が明らかになった時には、合計312万円にも上っていました。

息子さんは後見人を解任され、弁護士が新たな後見人となりました。当然、息子さんが自分のために使ったお金は、すべてEさんに返却することになりました。

解説① 「財産侵害」の多くは親族によるもの

本人のため以外に財産を使ってはいけない――これは後見人の基本です（夫がずっと妻を扶養してきたなどの場合は、家庭裁判所に相談可能）。不正を防ぐためにも、後見人はすべての通帳のコピーと収支表を家庭裁判所に提出してチェックを受けます。家庭裁判所は、本人のため以外の支出がないか詳しく確認するので、**不正は必ず明るみに出る**と考えてください。

その際、**たとえ親子関係であっても**「財産侵害」とされ、損害賠償をしなければなりません。場合によっては、背任罪、業務上横領等の刑事責任を問われます。

財産侵害をする後見人の8～9割以上が親族後見人といわれています（P84）。後見人になる時に、その仕事内容について説明を受け、**誓約書にもサイン**をしているのですが、身内ゆえの意識の甘さからか、だんだんルーズになってくるようなのです。

こうした事態を受けて、家庭裁判所は親族を後見人にするケースを減らしています。また、親族が後見人になる場合も、**監督人**をつけたり、普段使う金額以外のお金にはロックをかける「**後見制度支援信託**」（P86）を利用したりすることを条件とすることが増えています。

家族でも通帳を見せてもらえないの？

夫の施設入所を機に、妻が認知症に

Fさん（75歳・女性）は、半身麻痺の夫の介護を10年ほどしていました。ある日、自宅で夫を支えきれずにFさんが転んでケガをしたのをきっかけに、夫は施設で暮らすことになりました。子どもは息子さんひとりで、転勤の多い商社勤めです。

正月に息子さんが帰省すると、いつもきれいに片付いていた**実家がゴミだらけ**。身体の調子が悪いのかとFさんに聞いても、要領を得ない返事。夫が施設に入所して半年ほどたっていましたが、Fさんは一度も顔を見せていなかったそうです。

不安に思った息子さんが近隣のケアマネジャーに相談し、Fさんも承知した上でヘルパーを手配。しかし、ヘルパーの訪問初日、穏やかな性格だったFさんが「そんな話は聞いていない！」と大声を上げて、**ヘルパーを追い返した**のです。認知症を疑った息子さんがFさんを「物忘れ外来」に連れて行くと、たくさんの小さな脳梗塞と脳の萎縮があり、認知症と判明しました。

しかし、母親との同居を考えていた息子さんに、本社への異動の辞令が下ります。息子さん自身の家族を支える必要もあり、後ろ髪を引かれる思いで転勤。そして、Fさんのために成年後見の利用を考えたのでした。

後見人に母親の預金残高を問い合わせたら

専門家の助けを借りながら手続きを進め、無事に後見人が決定。息子さんは遠方で暮らすため、Fさんには専門職後見人がつきました。息子さんは後見人とメールで連絡を取ることにし、これで一安心……と思ったのですが、3か月ほどたったころ、「お金のこと、ちゃんとやってくれているかな？」と気になりました。

後見人が専門家であれば、報酬が発生します。普段の生活費や医療費、介護サービスの費用など、母親の蓄えだけでまかなっていけるのか心配になったのです。

息子さんが、「今、母のお金はどのくらい残っているのでしょうか？　通帳のコピーを送ってください」とメールを送ると、**後見人の返事は予想外**のものでした。

「家族であっても、それは教えられません。余裕はあるのでご安心ください」

こんな回答では、息子さんは安心できません。「なぜ、息子の自分が通帳を見られないのか？」「もしかして、後見人が悪いことをしているのでは？」――ニュースでも後見人の使い込みが伝えられているので、いても立ってもいられず後見人の事務所を訪ねました。

「家族なのに、通帳を見せてもらえないなんて、おかしくないですか？　ちゃんと後見人として仕事をしているんですか？」

少し感情的になりながら詰め寄ると、後見人は「そこまで言うのであれば、通帳をお見せします。でも、家族であってもご本人ではないのですから、後見人には、**通帳を見せる義務はない**んですよ」との言葉。通帳を確認しても、とくにおかしいところはなく、残高にも余裕があったのでホッとしましたが、「家族が通帳を見られないなんて、おかしくないのか？」という疑問は残りました。「母親に後見人をつけて、本当によかったのだろうか」と考え込んでしまったそうです。

本人の家族への報告義務はない

銀行口座の名義が個人単位であるように、財産の持ち主は原則1人。本人以外は「**第三者**」と見なされ、たとえ夫婦や親子の関係であっても、銀行窓口で「通帳を見せて」と言っても断られてしまうでしょう。

後見人は、本人の財産を守る立場であり、家庭裁判所への報告義務によるチェックを（専門家であれば専門団体のチェックも）受けています。そのため、**本人の家族には、通帳を見せたり、報告したりする義務はありません**。中には、自分たちが受け取る遺産を減らさないために、後見活動を妨害したり、お金がかかる施設への入所をやめさせたりしようとする家族がいるかもしれませんから。

しかし、家族に見せることが禁止されているわけでもありません。家族に情報を開示するかどうかの判断は、後見人に任されています。後見活動の妨げになると考えれば見せなくても問題はなく、家族に安心してもらい良好な関係を保つために見せてもかまいません。

ただし、通帳の中身は**重要な個人情報**。メールで気軽に送れるようなものではなく、取り扱いは慎重になります。この事例の場合、息子さん側は後見活動を妨害するような意図はないと伝わるように問い合わせ、後見人は重要書類の取り扱いについて説明し、直接会った時に見てもらうように提案できれば、お互いの印象が違ったかもしれません。

また、本人の近くにいる後見人がケアマネジャーやヘルパーと連携して、**自宅でのひとり暮らしを支えて**います。様々な支払いや新たなサービス契約、入院時の対応などもしてくれるわけですから、Fさんのことを考えれば、「後見人をつけないほうがよかった」ということはないと思います。

後見活動について、本人の家族への開示や報告の「義務」がないということは、あまり知られていません。しかし、それは本人の財産を守り、本人の「自分らしく、安心・安全な生活」を第一に考えるためのことなのです。家族が財産を狙っていたり、本人の暮らしを邪魔したりする意図がないことが伝われば、開示や報告に応じる後見人もいると思います。

事例③

後見人は、お金を自由にできるんじゃないの？

あっという間に進んだ認知症

Gさん（76歳・男性）は、若いころに妻を亡くし、その後は役所に勤めながら男手ひとつで息子を育ててきました。息子は独立して家庭をもち、Gさんも退職後は、趣味のギター演奏やハイキングなどを楽しむ生活に。とくに孫と会うのが楽しみで、孫のピアノの演奏会には花束を用意して欠かさず顔を出していました。

孫の誕生日祝いで息子家族と食事に行く予定の日、Gさんがそれを忘れて**ひとりでハイキングに行ってしまう**ということがありました。Gさん自身も「大事な孫の誕生日を忘れるなんて……」とショックを受けてふさぎ込み、その後、ひとり暮らしも難しくなるほど、あっという間に認知症が進んでしまったのです。

以前からのGさんの希望もあり、有料老人ホームに入居することになりました。入居金を支払うためにGさんの定期預金を解約しようと息子さんが銀行へ行きましたが、当然、手続きはできません。窓口の人から「**後見人になってから来るように**」と言われたので、法定後見の手続きをして息子さんが後見人になり、後見監督人として司法書士がつきました。

後見人になった息子さんは、銀行で定期預金を解約でき、有料老人ホームへの入所もスムーズに進みました。「男手ひとつで育ててくれた恩返しだ」と、後見人の様々な仕事に前向きに取り組み、監督人との関係も良好でした。

親父なら孫にピアノを買ったはず！

その後、ピアノが上達した孫が、個人レッスンやコンクールへの挑戦を考えるようになりました。そして、「自宅にグランドピアノが欲しい」と希望したのです。価格は100万円以上。息子さんの給料だけでは厳しく、Gさんにも援助してもらえないかと考えました。

そのころ、Gさんの認知症はかなり進み、話が通じないことも多々ありました。「うちの子が、グランドピアノが欲しいって言うんだけど、親父、援助してくれないか？」と聞いても、要領を得ません。しかし、あれだけ孫を愛し、ピアノも応援してくれていたのだから、気持ちは同じだろうと考えました。

念のために監督人に確認すると、「**ピアノ購入の援助はできない**」との答え。「親父が元気だったら、絶対に援助してくれていたはずだ！」と言っても、監督人は譲りません。逆に、有料老人ホームの費用が月30万円かかっていて、他の費用も合わせるとGさんの年金だけでは**毎月15万円の赤字**、あと5～6年で貯金は底をつくと言われてしまいました。

息子さんは、グランドピアノをあきらめることにしました。

解説③

後見人は本人のためにのみお金を使う

後見人は本人の生活を第一に考えます。Gさんが望んだ施設で将来にわたって暮らすためには、**お金が必要**なのです。だから後見人は、本人以外のためのことで財産を減らしてはいけないと考えます。この場合、監督人は**赤字が続いている現状**を含め総合的に判断して、100万円の援助はできないとしたのでしょう。

本人の財産を減らせないなら、香典や入学祝いなどの**親戚付き合いもできなくなるのか？**　という心配の声もよく聞きます。預金もほとんどないギリギリの生活であれば別ですが、たとえばきょうだいが亡くなって数万円の香典を渡したいとか、孫が中学に入学するので3万円の入学祝いを渡したいなど、常識の範囲内で本人の意思もある場合は、認められることが多いです。

事例④

夫からの生活費がストップ？

生計を担っていた夫が施設に入所

友人から「おしどり夫婦」と言われるくらい夫婦仲の良いHさん（86歳・男性）。子どもはおらず、3年前に認知症と診断されました。しばらくは妻が自宅で介護していましたが、妻自身も心臓に病気を抱えており、入院が決まったのをきっかけに、Hさんへの成年後見をすすめられました。

妻は**「自分の入院中に夫に何かあったら困る」**と思い、法定後見の手続きを弁護士に依頼。夫の自宅での生活をケアマネジャーや介護サービスに頼んで、妻は入院。幸いにも治療はうまくいきました。

妻が退院してしばらくすると、夫に弁護士の後見人がつきました。「これで自分に何かあっても、主人の世話を任せられる」と安心したのもつかの間、お金のトラブルが起きてしまったのです。

これまでずっと、夫婦の生活費はHさんの年金から下ろして使っていました。妻が友人と旅行する時も、美顔器や化粧品を買う時も、すべてHさんがお金を出してくれていたのです。しかし、Hさんの施設入所をきっかけに、後見人から**「奥さんの生活費は、ご自分で出してくださいね」**と言われてしまいました。

夫婦なのに夫のお金が使えないなんて……と妻はびっくり。「今までずっと、夫が生活費を出してくれていたんです」と訴えても、後見人には「奥さんだって、貯金ありますよね」と言われてしまいます。

ずっと共働きだったので、Hさんほどではないものの妻にも年金があります。また、今までHさんのお金で出費をまかなっていたこと、そして妻のきょうだいから相続を受けたことで、実は3000万円ほどの貯金もありました。確かに、自分のお金がないわけではないけれど……なぜか腑に落ちないのでした。

解説④

後見人も財産も本人のためのもの

後見人は、夫婦や親子に対してではなく、ひとりの個人に対してつきます。したがって、Hさんについた後見人は、Hさんのために仕事をします。また、財産は個人単位で名義がありますから、後見人はHさん名義の財産を管理して、Hさんの生活のために使うのが基本です。

そのため、自宅で夫婦一緒に暮らしている時の生活費ならまだしも、住まいが別になった段階で妻の生活のために後見人が夫のお金を下ろしたり、自宅に持ってきたりすることは原則的にしなくなります。

しかし、夫婦には**扶養義務**があります。妻の年金や貯金が少ない場合は、できる範囲で夫が生活を支えなければなりません（逆の場合も同じ）。ですから、収入や財産が少なく、それまでも本人が支えてきた実績がある場合は、後見人がついた後も家族のための支出が認められるのです。

この事例の場合、妻は経済的に余裕があるので、妻自身のことに自分のお金を使うというのは仕方がありません。後見人としては、Hさんの今後の生活のためにも、本人以外のことにお金を使って財産が減る可能性は最小限に抑えたいですから。

このように、後見活動が始まってからショックを受けないために、**「後見人がつくこと」**も**「財産を使うこと」**も**個人単位**でおこなわれることを、本人の家族も知っておくべきでしょう。また、それなりの収入や財産を持っている人は、自分の生活のために自分のお金を支払うことになる時期がくることを覚悟しておきましょう。

「成年後見は厳しい、冷たい」と思うかもしれません。しかし、それはすべて本人の生活を守るため。そこまで**純粋に本人のことを第一に考える**存在だからこそ、後見人に安心して任せられるのです。

事例⑤

「遠距離」を理由に後見人になれなかった…

遠距離介護を覚悟

Iさん（85歳・女性）は、長野生まれの長野育ち。夫を看取った後も、地元で健康に暮らしていました。子どもは息子と娘の2人。どちらも大学卒業後に東京で就職し、結婚。お盆やお正月に、皆で実家に集まるのが恒例でした。

ある年のお正月、子どもたちが実家に帰ると、近所の人が駆け寄ってきました。

「Iさん最近、ちょっと様子がおかしいのよね。**他の人の畑から勝手に白菜を取っていったりして**」

自宅の中も片付けが行き届いておらず、娘さんが異臭に気づいてキッチンの食器棚を開けると、腐った野菜や白カビが生えたお弁当の残りがありました。処分しようとすると、「それはまだ食べられるから、捨てないで！」というIさん。「もしかしたら認知症かも」と疑った瞬間でした。

その後、病院で検査してもらうと、やはり初期の認知症。Iさんを引き取れるかどうか話し合いますが、子どもたちは2人とも難しい状況がありました。また、Iさん本人も地元での暮らしを希望し、「**遠距離介護しかないか……**」と覚悟を決めたのです。

地元の地域包括支援センターに相談し、要介護の認定を取ります。ケアマネジャーに依頼して、身の回りのことをしてもらうヘルパーを手配。息子さんが週末を利用して、週に一度は実家に顔を出していました。

Iさんは保険証や診察券、通帳を何度もなくします。「なくしてなんかない！」と言い張る本人を、**再発行手続きのたびに銀行や役所に連れ出すのが大変**で、地域包括支援センターに相談すると、成年後見の利用をすすめられました。

息子さんを候補者に、様々な準備をして家庭裁判所に手続きをしたのですが、後見人に選ばれたのは第三者の社会福祉士。Iさんと息子さんの住まいが**距離的に離れている**、というのが理由だったようです。確かに平日は仕事があり、何とか調整して週末に通う状況だったので、どうしようもありません。

でも、「子どもが親の世話をするのが当たり前だと思っていたのに、なぜ関係ない第三者が関わってくるのか？」と息子さんは納得できません。ならば法定後見の手続きを取り下げようと考え、家庭裁判所に行きましたが、**本人の判断能力が回復しない限り取り下げはできない**と言われてしまいました。

息子さんとしては、不本意ながら、後見人に任せるしかなくなってしまったのでした。

解説⑤ 法定後見では親族が後見人に選ばれないことも

すでに判断能力が低下した人に後見人がつく法定後見では、家庭裁判所が後見人を選びます。親族が後見人に選ばれる件数は年々減少し、**最近は2割以下**。また、親族が後見人に選ばれても、**監督人**として専門家がついたり、**後見制度支援信託**を利用したりすることがかなり多いです。

たとえ後見人に選ばれなくても家族であることは変わりませんし、第三者である後見人も子どもの代わりにはなれません。週に一度、息子さんの顔を見られたらIさんも喜びます。お金や手続きのことは後見人に任せて、家族として一緒に過ごすことに時間を使うという考え方もできるでしょう。

法定後見では、家庭裁判所が診断書などを踏まえて、「本人の判断能力が低下しているから後見人が必要」という判断をし、その上で後見人を選びます。だから、本人の判断能力が回復しない限り、「後見人が必要」という判断（後見人の選任を含む）は取り消せません。つまり、多くの場合、法定後見が始まると亡くなるまで止められないのです。特に親族として後見人になりたい場合は、この事実を知った上で利用するようにしてください。もちろん、選ばれた後見人が仕事をしなかったり、不正をしたりする場合は「交代」させることはできます。

「後見人は絶対に家族にやってほしい！」という場合は、**本人がしっかりしているうちに任意後見で家族を後見人に決めておく**ことが、現状では最も確実でしょう（認知症になったら、任意後見人をチェックする監督人が必ずつくことには注意）。

しかし、法定後見しか選択肢がない場合に、親族が後見人に選ばれる可能性を少しでも高める方法がいくつかあります。

- いつでも駆けつけられることを証明するために、本人のところに**通っている実績**を作っておく
- 後見人の仕事が問題なくできることを証明するために、本書で説明したような**制度の基本的事項を理解**し、手続きの書類を**自分で作成**する
- 親族間でのトラブルや意見の違いがないようにしておく
- 家庭裁判所から提案される**監督人や後見制度支援信託等の話を前向きに受け入れる**

つまり、専門家を選んだ場合と変わらないくらいにレベルの高い後見活動ができることを伝えるのです。これらのことをすべて実行すれば、親族が選ばれる可能性も高まると思います。

様々な要因が関わるので一概には言えないものの、親族を候補者としたケースの8割程度は後見人に選任されている（専門職の監督人がつくか後見制度支援信託・預貯金の利用が前提という場合が多い）という調査結果もあります。

事例⑥

後見人に全部任せたのに、親族が保証人を頼まれた

かわいい姪には迷惑をかけたくない

長年、服飾関係の仕事をしてきたJさん（72歳・女性）は、結婚歴がなく子どももいませんが、妹の一人娘をわが子のようにかわいがっていました。

退職してしばらくしたころ、妹が検査入院。Jさんも**自身が入院することになったら、誰が世話をしてくれるだろう**と考えて、最初に浮かんだのは姪の顔です。でも、それはできません。姪には障害のある子どもがいて、自分が迷惑をかけるわけにはいかないからです。

Jさんは、公会堂で開催された「老いじたく」の講演会に参加して成年後見を知り、とくに自分のために後見人をつける**任意後見**に興味をもちました。

自分に万が一のことがあってお金が残ったら、すべて姪に渡したいという気持ちが以前からあり、いつか遺言をしなくてはとも考えていました。そこで、地域包括センターに相談。遺言と任意後見について相談できる、近隣の専門家の一覧表をもらい、妹や姪にも相談しながら、とある行政書士に会ってみることに。

話してみると、若いのにしっかりした人で、任意後見の経験もあるとのこと。何よりゆっくりと話を聞いてくれるところに安心し、遺言と任意後見の準備をしていくことを決めました。

遺言も完成し、後見人も決まり、すっかり安心して過ごせるようになったJさん。友人とカラオケや温泉に行ったり、ボランティア活動も始めたりして、人生を楽しんでいました。

ある日、買い物中に急なめまいに襲われます。立っていられず、店員が呼んだ救急車で病院へ。

気がつくと病院のベッドの上で、身体も思うように動きません。手術が必要なほどの重篤な状態ではないものの、しばらく安静にする必要ありとのことでし

た。朦朧とする意識の中、救急隊員に後見人がいることを伝えていたようで、入院手続きは後見人がしてくれていました。

その日の午後、後見人とともに見舞いに来た妹に話を聞くと、後見人から入院の連絡があり、入院時の保証人を「もしできたら……」と頼まれたそうです。「後見人って全部やってくれるわけじゃないんだね」と言われてしまいました。確かにJさんは、後見人に「全部お任せ」したつもりでした。入院の手続きまでやってくれたのに、なぜ保証人はわざわざ妹に頼んだのだろうと疑問に思ったのでした。

解説⑥ 後見人は保証人や身元引受人にはなれない

後見人は本人の「自分らしく、安心・安全な生活」をかなえるために様々な権限をもちますが、何でもできるわけではありません。第三者の後見人は**保証人や身元引受人にはなれない**ため、家族に依頼します。

家族がいない場合や、家族がいても病院に来られない場合に、保証人のサインがないことで入院できないと困ります。そのような場合は、後見人が病院と交渉したりして、何とか手続きをしていきます。必要な治療が受けられないのであれば、後見人がついた意味がありませんから。このケースも、もし妹や姪に色々な事情があって病院に来られなければ、後見人が病院と話し合いをすることになったはずです。

あくまでも後見人のルールとして、「**保証人が必要になった時には、まず家族に声をかけなければならない**」ということは理解しておいてください。

事例⑦ 誰も気づかぬうちに、生活がめちゃくちゃに

認知症でひとり暮らし

Kさん（81歳・女性）はもともと几帳面で穏やかな性格。30代半ばで離婚し、その後はずっとひとりで生活してきました。10年前に兄が亡くなってからは親戚付き合いもなく、昔買ったマンションにこもる日が続くようになりました。足を悪くしてからは買い物に出るのがおっくうで、馴染みの商店に電話をして配達をしてもらっています。手持ちの現金がなくなったら銀行へ行き、**100万円単位**で下ろしていました。

ほとんど人と接する機会がない生活の中、Kさんはいつの間にか認知症になっていました。ゴミ出しをしなくなり、**部屋はゴミ袋であふれ返り**、家に来た商店の配達員を兄と間違えたりします。玄関先からも、部屋の様子が普通ではないと感じた配達員が民生委員に相談し、状況が明らかになりました。

すっかり人嫌いになっていたKさんは、民生委員が訪ねて来ても頑なに入れようとしません。玄関から家の様子をうかがい、「これはまずい」と思った民生委員は役所に連絡し、ソーシャルワーカーや保健師にも来てもらいました。何度か訪問を繰り返すうちに、ある日、Kさんが男性ソーシャルワーカーを兄と勘違い。機転をきかせたソーシャルワーカーが兄のふりをし、Kさんを心配して訪ねてきたと伝えると、ようやく笑顔で部屋に招き入れてくれたのです。

室内はひどい状況で、寝室のベッドの上にもゴミ袋が積み上がっています。足の踏み場もなく、台所にはツンとした生ゴミの臭いがたちこめています。干からびたみかんがホコリまみれの食卓に置かれ、**最近食事をとった形跡もありません**でした。

フラフラと歩くのもままならないKさんを見て、保健師はひとまず病院で検査してもらうことにしました。

兄役のソーシャルワーカーが「久しぶりだから、寿司でも食いに行こう」と声をかけ、何とか病院へと連れ出したのです。検査の結果、著しい栄養失調に加え、脳梗塞の疑いもあり、しばらく入院することに。部屋の中に入るのが少しでも遅かったら、万が一のこともありえた……と、**関係者は冷や汗をかいた**のです。

解説⑦ 生活を組み立ててくれる人の重要性

この事例を読んで、「大げさに脚色しているのでは？」と思うかもしれません。しかし、こうしたケースは様々な地域で実際に起きています。**決して非現実的な話ではないし、他人事でもない**のです。

この事例からわかるのは、「自分のことを考えて生活を組み立ててくれる人」の重要性です。認知症になると、自分が心地良く暮らせるのはどんな環境なのか、自分の身体が楽になるのはどんな治療なのかということを、自分で考えられなくなってしまいます。もしKさんの身近にそうした人がいたら、ここまでめちゃくちゃにはならなかったはずです。

もちろん、どんな暮らしをするのも本人の自由。部屋が片付いていなくても平気だとか、医者嫌いで病院にかかりたくないという人もいるでしょう。判断能力のある状態で考え、望んだことであれば、それは1つの生き方かもしれません。しかし、**この状況はKさんが望んだ生活なのでしょうか**。Kさんは本来、几帳面な人で穏やかに暮らしていました。認知症にならなければ、このような暮らしはしていなかったのではないでしょうか。

重要なのは、自分の頭がしっかりしていて、身体も元気に動くうちに、成年後見の準備をしておくこと。自分のために後見人を決めておく、**任意後見の活用**です。自分の考えや性格、希望する生活スタイル、将来像などについて、あらかじめ後見人に伝えておけたら、何があっても対応してくれるし、最期を迎えるまで自分の意思にそった生活ができるからです。

また、**「人とのつながり」**を作っておくことも重要です。病気になった時、身体が動かなくなった時、何か困ったことがある時に相談できる相手がいたら、とても心強いですし安心できます。自分のことを気にかけてくれる人がいれば、いざという時に適切な機関へとつないでくれるでしょう。

昔からの友人や町内の知り合い、地域の民生委員、行きつけのお店の店員さん、お隣さんでも、かかりつけ医でも、ケアマネジャーでも、介護ヘルパーでも、私たちの身近には様々なつながりの可能性があります。何かしらの「人とのつながり」はキープし、**いざという時のSOS**が出せるようにしておく必要があります。

遺ったものは誰のもの？——相続のトラブル

夫婦の生活に終わりが…

Lさん（78歳・女性）は3年前に認知症を発症。しばらくは6歳年下の夫に介護をしてもらっていましたが、今は施設に入所しています。子どもはいません。

介護保険の手続きや施設の支払い、病院への付き添いなどは夫がしており、Lさんが施設に入ってからも3日に一度は訪ねて、一緒に中庭を散歩したりして過ごしていました。

ある日、**1週間ほど夫が顔を見せていない**ことに相談員が気づき、自宅に電話してみましたが誰も出ません。Lさんが在宅介護を受けていた時の担当の地域包括支援センターに連絡を取ると、夫が2日前に倒れて入院していることがわかりました。病状はあまり良くなく、昏睡状態とのこと。

相談員は万が一のことを考え、急いでLさんの外出を手配。その日のうちに夫を見舞うことができました。眠ったように動かない夫を見て、Lさんも真剣な眼差しで、ゆっくりと頬をなでていました。次の日、夫が息を引き取ったという連絡が入ります。

Lさんは認知症で介護が必要な状態。**夫の葬儀の手配や親族への連絡などはできません**。地域包括支援センターは、メモに残っていた夫の弟に連絡を取りました。夫の弟は、Lさんが認知症であることも知りませんでしたが、ひとまずの対応はしてもらえることに。Lさんは無事に夫を送ることができました。

その後問題になったのが、**夫の遺産**です。3つの銀行に預けられたお金は、Lさんが今後も施設で介護を受けるのに必要なものですが、自分では手続きできません。また、子どもがいないので遺産は全部Lさんへ渡ると思い込んでいた夫は、遺言を作っていませんでした。実際には、相続人はLさんだけではなく、きょうだい（亡くなっている場合は甥姪まで）も法定相続人です。付き合いのほとんどなかった甥姪（夫の亡兄の3人の子）まで含めると、相続人はLさんの他に**5人**もいました。Lさんがすべて相続するにしろ、他の相続人と分けるにしろ、遺産分割協議をしなくてはなりません。そこでLさんに後見人がつくことになりました。

後見人に選ばれた司法書士は、すべての相続人と連絡を取って話し合いを進めていきます。Lさんの預金があまりないこと、認知症で施設に入っていることなどを伝え、Lさんがすべて相続できないだろうかと打診しました。夫の亡兄以外のきょうだいは賛成してくれましたが、亡兄の子どもたちは「もらえるものはもらう」と譲りません。夫のきょうだいはそれに不満気で、**親族トラブル**に発展するところでした。

後見人は、遺言がない以上、亡兄の子どもたちにも法律的に受け取る権利があることを丁寧に説明する一方で、夫のLさんに対する思いや、このままではLさんが困った状況になることを、関係者全員に真摯に説明しました。その結果、亡兄の子どもたちに1人20万円ずつ渡すことで全員の合意が得られ、晴れてLさんは夫の遺産を引き継ぐことができたのです。

解説⑧

相続手続きのためには後見人が必要

子どもの有無や相続人の人数にかかわらず、判断能力が低下すると、**相続手続き**や**遺産を分ける話し合い**ができず、後見人をつけることになります。この事例のように遺言がなく相続人同士の話し合いが必要な場合には、本人のために少なくとも法定相続分（P139）を確保することを後見人は目指します。

「相続でもめるのはお金持ちだけ」と考える人は多いですが、現実には遺産の多い少ないに関係なく、もめることはあります。どんなに協議してもまとまらなければ裁判所に委ねるしかありませんが、まずはじっくりと話し合うことで解決の糸口を探します。

被相続人に子どもがいない場合は、事例のように**きょうだいや甥姪まで含めた遺産分割協議が必要になることが多い**です。しかし、遺言があれば、**きょうだいや甥姪には遺留分はありません**から、遺言通りに相続が進みます。

遺留分とは、遺言の内容に関係なく**法定相続人**（P139）に**遺産の一部を受け取る権利**を認めるもの。相続の開始を知って1年以内に請求すると受け取れます（請求するかどうかは自由）。**配偶者**と**子**、親が法定相続人になる場合には、次の割合で遺留分があります。

配偶者と子：法定相続分の½

故人に配偶者がいる場合の親：法定相続分の½

故人に配偶者がいない場合の親：法定相続分の⅓

たとえば、「すべて妻に相続させる」という遺言があっても、夫妻に子がいれば、その子は遺留分を請求できます。しかし、**きょうだい（甥姪も含む）には遺留分がない**ので、Lさんの夫は「妻にすべて相続させる」と遺言しておけば、確実にLさんに財産が渡りました。

遺言は亡くなった人の意向を法律的に遺すとても重要なもの。とくに**子どもがいない人には欠かせません。**

悪徳後見人トラブル―― 任意後見の場合

エンディングノートに興味を示さない後見人

子どもはなく、夫も看取ったMさん（73歳・女性）は、自分の老いじたくとして任意後見の契約を専門家と結びました。ただし、「エンディングノートを書いたから見てほしい」と言っても、何の興味も示してくれないなど、最初から少し気になることはありました。自分の思いを書き連ねたものなど専門家は読みたくないのかなと思い、その時はそのままに。

2年後、Mさんは知り合いに紹介された高齢者住宅に入ることにしました。後見人は、入居にあたって必要な手続きはしてくれましたが、見学に同行もせず「わかりました」と言うだけ。この時も**違和感**を覚えましたが、健康上の不安も出てきており、「頼れるのはこの後見人だけ」との思いから、入居のタイミングで通帳などを預けて後見人の仕事を始めてもらいました。

その後はとくに問題なく、「通帳を見せてほしい」と言えば見せてくれるし、定期的に面会にも来てくれるようになりました。Mさんも、任意後見をやってよかったと思っていました。

その後、Mさんに認知症の症状が出始め、通帳を見せてもらっても理解できなくなってきました。日々のことは高齢者住宅のケアマネジャーや介護スタッフがやってくれるので困りません。しかし後見人は、Mさんが後見人の仕事をチェックできなくなっているのに、監督人をつける手続きをしないのです。介護関係者が聞くと「今、手続きしている途中です」と答えますが、そのまま1年2年と過ぎ、**チェックする人がいないまま**後見人の仕事は続いていきました。

ケアマネジャーからの連絡で役所が家庭裁判所と協議（専門団体には所属していませんでした）。話し合いにも応じないため、改めて法定後見で後見人をつけることに。新たな後見人が確認すると、Mさんが認知症になったころから**用途が不明の引き出し**が増え、その額は合計300万円に達していました。損害賠償を請求し、使途不明金は無事に返ってきましたが、後味の悪い結果となってしまいました。

悪徳後見人トラブル――法定後見の場合

後見人と音信不通で、あわや退所の危機

突然、病院から妹のところに連絡が来たのは3年前。兄のNさん（88歳・男性）が認知症になり、警察に保護されて検査入院中だというのです。鞄の中に電話番号のメモがあり、それで妹に電話が来ました。

Nさんは親戚付き合いもほとんどなく、そんな状況であるとは誰も知りませんでした。妹自身も体調があまり良くなく、妹の娘に手続きを頼んで、Nさんに後見人をつけてもらうことにしました。

後見人がついてからは、うまくいっているように見えました。退院後はそのまま施設へ入所し、自宅は売却。すべて後見人がやってくれて、妹のところに連絡が来ることもありませんでした。妹のほうからも、とくにNさんや後見人に会うこともなく3年が経過。ある日、Nさんのいる施設から「**施設利用料の引き落としが2か月間もできず、後見人とも連絡が取れない**」と妹あてに電話が来ました。このままだと施設を出なければならず、妹の娘が後見人に話を聞くことにしました。

しかし、後見人にいくら電話しても連絡がつきません。業を煮やして後見人の自宅兼事務所を訪ねると、会うことはできましたが、詳細を尋ねても「あなたに教える義務はありません」。施設利用料の未払いや、このままでは退所しなければならないことについては把握しているようでしたが、「こちらで対応している」と繰り返すのみで、詳細はわかりませんでした。

施設の相談員に聞くと、その後も後見人は何もしていないとのこと。そこで、後見人が所属する専門団体に問い合わせてみました。専門団体の調査によると、Nさんの普通預金口座から後見人による**800万円の使い込み**があり（定期預金は無事）、妹の娘が後見人を訪ねた翌日に「健康上の理由」で辞任の申立てがされていたことがわかりました。

専門団体は家庭裁判所と調整し、速やかに後任の後見人を探しました。新たな後見人が定期預金を解約して施設利用料を支払うとともに、使い込みをした後見人へ**賠償請求**し、Nさんの生活の立て直しを図りました。Nさんは施設を退所することもなく、お金も返済されることになりましたが、妹や娘は後見人に任せっぱなしにしたことを後悔したのでした。

解説 ⑩⑨ 悪徳後見人に騙されない方法

専門職後見人は、法律や福祉の資格に加え、**専門団体に所属**していることが最低条件です。専門団体では研修が義務づけられていますし、後見人同士のつながりや様々なチェック機能もあります。しかし、専門団体への所属は任意で、弁護士などの**資格がある人全員が所属しているわけではない**のです。法定後見で家庭裁判所が選ぶ後見人は、基本的に専門団体の研修を終えた人に限られますが、任意後見は、契約さえすれば誰でも後見人になれるので、とくに注意が必要です。会員証を見せてもらったりして専門団体への所属を確認してください。

また、一人事務所だと内部での相互チェックが働きませんから、スタッフや専門家が複数いる事務所や法人のほうが信頼性は高いといえます。

後見人に悪いことができないような「**プレッシャー**」を親族が与えることも重要です。すべてを丸投げせずに、定期的に連絡を取って本人の様子を聞いたり、直接会って通帳を見せてもらったりするのです。悪いことを考えるような隙を作らないということです。

法定後見では本人のために家族としてプレッシャーをかけますし、移行型の任意後見であれば認知症にならない限りは、後見人の仕事を一つ一つ報告してもらうようにしましょう。

また、2つのケースともそうでしたが、悪徳後見人は本人を支える介護関係者などとの連携が悪かったり、疎遠になったりする特徴があります。ただ手続きをして財産を管理し、支払いをするだけなら、本人や関係者に会わずに事務処理として進められるからです。本人の意向を引き出し、周りの人たちと相談しながら、より良い方法を「選び」「決める」には、本人や介護スタッフとの話し合いが欠かせません。**事務処理に終始する後見人は介護関係者からの信頼も低い**ので、介護関係者から後見人の動向を聞き取ることも有効です。

金銭管理が不透明だったり、後見人の仕事が不十分だと感じたりしたら、まずは後見人と直接話してみましょう。不安な場合は、介護関係者に協力してもらいます。実際に通帳などを見て適切に管理されていることがわかれば安心するでしょう（ほとんどの場合、後見人はちゃんと管理しています）。不明な点があれば、遠慮せずに、早めに確認しましょう。

話し合いに応じない場合は、**専門団体の助け**を借りましょう。専門団体は、所属する専門家が適切に後見活動をするように働きかけたり、時には指導したりします。また、家族や本人と後見人との間を取り持ってくれることも期待できます。

専門団体に相談しても疑いが晴れない場合や、働きかけに応じないような場合は、**家庭裁判所**に相談します。家庭裁判所には後見人を監督し、財産の中身や収支について報告させ、不適切な場合は解任し、後任の後見人をつける権限があるからです。

任意後見を利用するケースでは、後見人にプレッシャーをかけるような家族がいないことも多いです。最初の後見人選びを慎重におこないましょう。専門団体への所属を確認することの他、**エンディングノートを**

一緒に作ることでその人の人柄を見極めていきます。

また、任意後見では今回のケースのように、悪徳後見人は、本人が認知症になっても監督人をつけません。認知症になった場合は監督人をつけなければならない旨の記述は、ほとんどの任意後見契約（移行型）にありますし、専門団体の確認もあります。でも、悪徳後見人はそれを無視します。監督人がつくと悪いことができなくなるからです。

このような事態を避けるため、しっかりしているうちに、ケアマネジャーや介護関係者、地域包括支援センター、民生委員、役所の人、信頼している友人などに「**私が認知症になったら、必ず後見人に監督人がついたか確認してほしい**」と伝えておきます。**監督人をつけざるを得ない状況に仕向けるのです**。とくに地域包括支援センターには、成年後見に詳しい社会福祉士がいるのでおすすめです。

確かに悪徳後見人はいますが、ごく一部であるということも知っておいてください。ほとんどの専門家は本人のことを思って適切に活動しています。必要以上に後見人を恐れて成年後見を利用しないことは、本人の生活が守られないことにもなります。

成年後見は多くの人に有効な制度であることは変わりませんし、成年後見でなければ解決できないこともたくさんあります。**しっかりとポイントを押さえて活用することが重要**なのです。

税金対策や投資ができないなんて考えられない

熱心な投資家が認知症になると…

代々引き継いだ不動産にとどまらず、株や証券、外貨預金、為替、海外不動産、暗号通貨など、様々な投資を行っているMさん（71歳・男性）。**「投資家には定年はない」が口癖**で、投資の勉強会にも積極的に顔を出していました。

ところが、夫婦で温泉旅館に出かけた時に脳梗塞発作で倒れてしまい、リハビリも含めて半年間入院。退院しても生活全般への意欲が低下し、あれほど熱心に取り組んでいた投資にも興味を示しません。検査を受けたところ、初期の認知症と診断されました。

心配した息子さんは、資産運用に関する書類やデータを見せてもらおうとしますが、Mさんは**頑なに拒否**。「これはおかしい……」と時間をかけて郵便物等を調べた結果、損失が出ているものがいくつか見つかりました。

息子さんは、解約できないものかと証券会社に問い合わせましたが、「本人が認知症であれば、後見人でないと解約できない」との回答。急いで法定後見の手続きを行うことにしました。

認知症の進行は早く、診断書によると、すでに「成年後見」のレベル。息子さんを後見人の候補者にして申し立てることにしましたが、相談した地域包括支援センターで、認知症になった人の投資について驚きの説明を受けます。

後見人がつけば、**損失が出ている投資の解約は可能**で、今までに契約した投資を継続することもできます。しかし、新たな投資や相続税対策の不動産活用などはできません。また、希望通り息子さんが後見人になっても、息子さんをチェックする専門職の監督人がついたり、証券や信託等現金化しやすいものはすべて解約して、家庭裁判所の許可がないと下ろせない口座（後見制度支援信託・預貯金）に移すよう指示される場合もあるとのこと。

Mさんから色々と教わっていた息子さん自身も、投資には積極的です。**目の前に活用できる資産があるのに、何もしないのは納得できません。**運用していたら得られたであろう利益を、みすみす捨てることになると考えるからです。

しかし、Mさん自身が判断できない以上、現状では後見人として代わりに手続きせざるを得ません。息子さんは釈然としない思いを抱えながらも、損失を出し続けている投資の解約を優先して法定後見を利用することにしたのでした。

解説⑪ 認知症になった後も投資をする方法

これまでもお伝えしてきた通り、成年後見とは本人が自分らしく安心・安全に生涯を過ごすための制度で、財産管理の方針として**「投資のリスクは取らない」**ことが徹底されています。本人が自分らしい生活を送る以外のところで資産を減らすのは、本人の利益に反するからです。その可能性をなくすために、**後見人が新たな投資を行うことはできない**とされています（判断能力があるうちに契約した投資を継続したり、すでに賃貸住宅経営しているアパートを引き続き管理することはできます）。

また、後見人が活動するのは「本人のため」ですから、相続人が有利になるかどうかは考慮されません。結果的に遺ったものは相続対象財産になりますが、財産を多く遺すために必要以上に節約したり、本人の生活を実現するための出費をしぶったりすることはしません。税金対策も同様です。

このような制限は、安全重視の価値観をもつ人には心強いものですが、一方、安全よりも投資を重視する人にとってはなかなか受け入れられないものだと思います。事例にもある通り、**機会損失**という考え方もあるからです。そうした場合、どのように準備すればよいのでしょうか?

現状の制度では、判断能力が低下した後にできることはありません。「投資は自己責任で」と言われますが、**本人の意思が確認できない以上、投資結果の責任を負える人がいない**からです。

しかし、判断能力があるうちなら、**家族を受託者とする民事信託**という手立てがあります（定型的なものであれば、信託銀行や信託会社等に託す商事信託もある）。民事信託は、本人が特定の目的のために家族（受託者）に財産を託す契約です（P146）。その「目的」は柔軟に、自由度高く設定できますから、積極的に新たな投資をしたりすることも可能になるのです。

もちろん信託の契約段階では、本人の明確な意思が必要になります。あくまで、判断し責任を負うのは本人で、その実行を家族が担っていくということです。

認知症になった後も積極的な投資をしたい場合は、**判断能力のあるうちに準備**することが不可欠です。

終章――自分らしく生きよう

最期まで、自分らしく生きることの素晴らしさ

私たちの今までの人生――思い出すたびに笑みがこぼれるような楽しい出来事もあれば、二度と味わいたくないような苦しみ、心が張り裂けるような悲しみもあったでしょう。**山あり谷ありの道のりを越えて**、今のあなたがあります。

今、あなたがここにいることが、他の誰とも違う「人生の証」であり、計り知れない価値があることです。まったく同じ道のりを歩むことなど誰にもできませんから。だからこそ、**身体が動かなくなったり、認知症で判断能力が低下したくらいで、その歩みを止めてしまうことほど残念なものはありません。**

自分の好きなように「選び」「決める」。あまりに自然なことなので普段は意識しないかもしれません。私たちが多様な選択肢の中から「選び」「決める」ことができるのは、これまでの人生で培った価値観があるからです。そして毎日少しずつ、新たな経験を積み重ねています。その積み重ねが、人生の終わりまで途切れずに続く。人間らしい生活とはそういうものだと、私は信じています。

最期まで自分らしく生きること。これは本当に素晴らしいことです。

私は「人生最期の付添人」として、今まで何人もの方々を看取ってきました。ゆっくりと心の準備ができた方もいれば、急な病で逝かれた方もいます。そこに悲しみがなかったわけではありません。でも、どんな形であっても、その人らしい暮らしができて、その人らしい最期を迎えることができたなら、**後悔の念なく旅立つことができる**と思うのです。

そこに流れる荘厳で平安な空気を感じるたびに、「この方が最期まで自分らしく生きるためのお手伝いができ

きてよかった」と実感します。

その人だけの物語が完成する時

家族と縁が遠く自宅で静かに暮らしたいという方、自身が病気を抱えながらも妻の最期を看取りたいと願っていた方、心を落ち着かせるために、暮らし慣れた場所で、いつものスタッフに囲まれて最期を迎えた方、旅立ちの瞬間まで夫婦の時間をもてた方、様々な事情で息子と会えず、最期にようやく会うことができた方、病の苦痛をやわらげることを第一に環境を整え、ゆったりとした気持ちで過ごせた方、好きなお酒を少量口に含むのが日課になっていた方、ひっそりと逝きたいという希望をずっと言っていた方……様々な方がいらっしゃいました。どの方も、大きなことを成し遂げたり、歴史に名を残したりしたわけではありません。**普通の人が、自分なりの生活や最期を望んだだけ**のことです。

でもその望みがかなう時、その人でなければ成立しない、**世界でたった1つの物語**ができあがります。成年後見のしくみや後見人がその物語を尊重し、責任をもって最期まで付き添うからこそ、素晴らしい旅立ちの場面にも立ち会えるのです。

成年後見が「今の人生を」輝かせる

判断能力が低下しても、財産が守られて、必要な手続きが滞りなく進み、本来の自分が望んでいた生活が続けられると思えば、安心して年を重ねていけます。そしてこの安心感は、私たちの人生に**思わぬ成果**をもたらしてくれるのです。

自分の将来に対する不安が大きく、いつも頭の隅に居座っているような状況では、目の前の楽しいことにも集中できませんよね。「こんなことをしていて大丈夫かしら?」と、将来の備えを何もしていない自分に後ろめたさを感じることもあるでしょう。ですが、成年後見の準備をしてその不安がなくなれば、「今の人生」に全力で取り組むことができるようになります。家族との生活、趣味の活動、友人との語らい、さらには好きなテレビ番組を観るなどのちょっとしたことさえも、**本当に心から楽しめる**のです。

そうした意味で、成年後見は「困りごとへの対処」

や「将来への備え」であると同時に、**「今の人生を輝かしく変えるもの」**でもあります。

だからぜひ、成年後見のことを知って、主体的に使ってほしいのです。成年後見は、「誰かから指摘されて、やむを得ず利用するもの」ではなく、「夢をかなえるために、自分から活用するもの」。こんなふうに、より前向きにとらえてはいかがでしょうか。

私たちの人生、いつ最期を迎えるのかはわかりませんが、**残された時間は意外と長い**ものです。心配事を抱えたまま過ごすより、今できる対策を講じて、スッキリした気持ちで好きなことに取り組んだほうが何倍も充実した人生になります。

美味しいご飯を食べる、温泉に行く、コンサートで音楽を楽しむ、深夜ラジオを聴く、本を読む、色々な人と交流して会話を楽しむ、ひいきのスポーツチームを応援する、心地良いベッドで眠りにつく……大きなことでも、些細なことでも、自分が望む生活をどんな状況でも続けていけること。それは、すべての人に共通する「夢」ではないでしょうか。

ここまで読み進めてくださったあなたは、自分らしく最期まで生きることにどれだけの価値があるかをご存じのはずです。成年後見を利用することの利点や必要性も、おおよそ理解されたと思います。

あとは、**新たな一歩を踏み出すだけ**。

新たな「一歩」の踏み出し方

それでは最後に、「今の人生」を輝かせるためにすべきことをお伝えします。

それは**たった1つ。相談すること**です。

2章の7「成年後見について、どこで相談できる?」（P62、94）を参考に、相談しに行く窓口を決めてください。予約の電話も入れましょう。相談窓口に行ったら、「成年後見が必要かどうか相談したい」と告げます。対応した相談員は、おそらく色々と尋ねてくると思いますので、あなたの状況（法定後見なら認知症になった身近な人の話など、任意後見なら自分の状況や不安に感じていることなど）を率直に話しましょう。

一通り話したら、もう一度「**このような状況なのですが、成年後見は必要でしょうか?**」と聞くのです。ここまですれば、相談員が必要に応じて今後のことを

案内してくれます。もちろん、成年後見を利用する必要がなければ無理にすすめられることもありません。

あなたが今、自分や自分の身近な人の将来についての不安を少しでも感じているなら、**勇気を出して**一歩踏み出してみてください。思い切って相談に行くことが、「自分らしい、安心・安全な生活」につながるのです。**この本を通してあなたと私が出会った意味**は、そこにあると思います。

最期までお幸せに過ごせることを、何より願っています。それが私の喜びです。

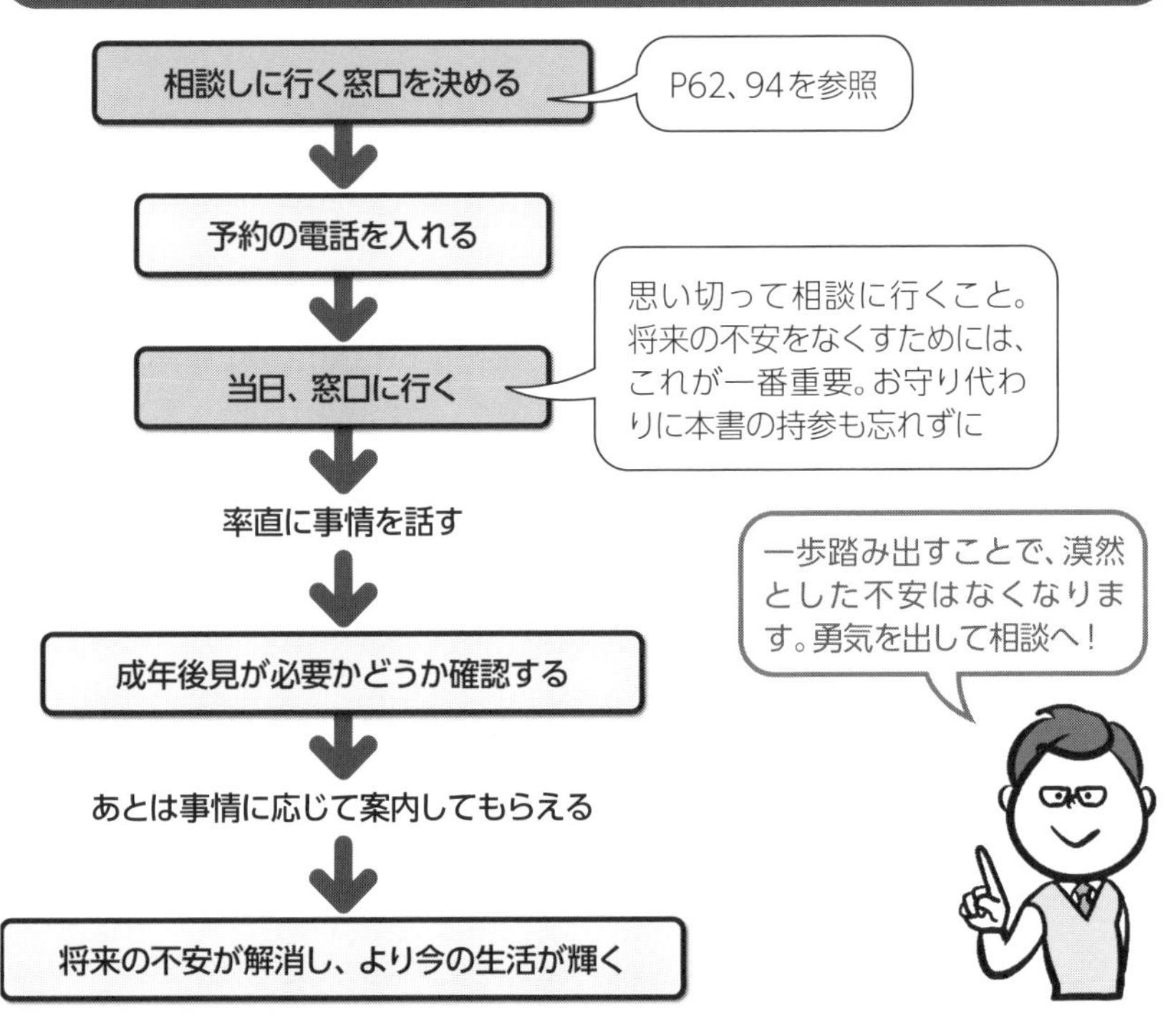

●著者紹介●

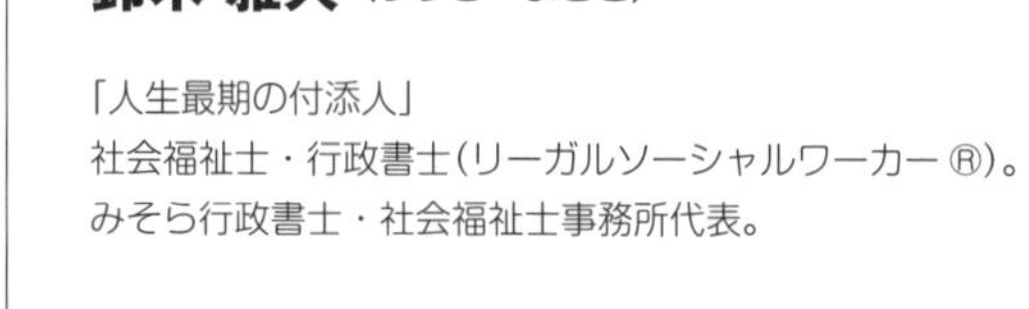

鈴木 雅人（すずき・まさと）

「人生最期の付添人」
社会福祉士・行政書士（リーガルソーシャルワーカー®）。
みそら行政書士・社会福祉士事務所代表。

福祉と法律の両面からシニア世代や障害者の「自分らしい生活」を支え、文字通り「最期まで」付き添うことが信条。後見人として15年以上活動し、相談件数も10,000件を超える。公的機関を中心に、成年後見・遺言・相続などをテーマとした講演依頼も多く、**「難しい法律用語を使わないから、すっと頭に入ってくる」「私も準備しなきゃと実感した」**などと好評を得ている。

福祉系の大学を卒業後、役所の相談窓口や在宅介護支援センター、地域包括支援センターで、社会福祉士としてシニア世代の生活・認知症・介護・財産問題などの相談対応をおこなう。経歴や生活状況、人柄、人生観、家族のありようなど様々な相談者に接する中で、**ひとりひとりの個性を尊重し、その人らしい人生や生活を実現していくことにこそ価値がある**と気づく。その一方で、認知症などによる判断能力の低下や、社会情勢に左右される個人の財産状況など、福祉的な支援だけではうまくいかないケースを数多く体験。その人らしい生活をかなえるためには、法律的な準備やサポートが欠かせないと実感し、行政書士資格を取得。2008年、みそら行政書士・社会福祉士事務所を開設。

「人生最期の付添人」として様々な人たちの話を聞き、**その人生にほんの少しでも関われることが喜び**。相談対応の専門家として「相談の学校」を主宰し、シニア世代・障害者の支援に関わる人たちにコミュニケーションを教える活動もおこなう。

コーヒーが好き。お酒は弱いがワインも好き。

権利擁護センター「ぱあとなあ神奈川」会員
一般社団法人コスモス成年後見サポートセンター 神奈川県支部 会員

横浜市在宅介護支援センターあり方検討委員会 委員
神奈川県社会福祉士会 地域包括支援センター推進委員会 委員
神奈川県社会福祉士会 ぱあとなあ神奈川運営委員会 委員（法人後見チーフ）
横浜市における市民後見人検討委員会 委員
神奈川県社会福祉協議会 市町村社協成年後見推進委員会 委員　などを歴任

●みそら行政書士・社会福祉士事務所
http://www.misora-office.com/

読者限定特典のお知らせ

本書『認知症700万人時代の失敗しない「成年後見」の使い方 第2版』を読んで、

- ◎成年後見に興味をもった
- ◎具体的な一歩を踏み出したい
- ◎相談窓口に行ってみたい
- ◎相談窓口は どのようなものか知りたい
- ◎ポイントだけを教えてほしい
- ◎自分の将来のために 任意後見を使いたい
- ◎最新情報が知りたい
- ◎著者の説明を直接聞きたい

などと思ったあなたへ

あなたが一歩踏み出すために、
必ず役立つ「7つ道具」をプレゼントします。

① 書き込み式！相談に行く前の「状況整理シート」
② 「状況整理シート」の使い方解説
③ 実録音声「成年後見の相談はこんな感じ」法定後見編
④ 実録音声「成年後見の相談はこんな感じ」任意後見編
⑤ 大事なところだけ！重要ポイントをまとめた「虎の巻」
⑥ 「成年後見最新情報」（毎年更新予定）
⑦ 本には書けない?!「専門職後見人のホンネ」

今すぐ以下のホームページにアクセスしてください

http://www.misora-office.com/book700/

著者へメッセージや感想を送りたい方もこちらへ

※配布期間を過ぎると、予告なしに配布を停止する可能性がございますので、興味がある方は早めに入手されることをおすすめします。また、本書を購入し、読んでいただいた読者様限定でお知らせしているホームページのため、上記URLを直接ご入力ください。ご協力お願いいたします。

本書内容に関するお問い合わせについて

このたびは翔泳社の書籍をお買い上げいただき、誠にありがとうございます。

本書に関するご質問や正誤表については、下記のWebサイトをご参照ください。
　正誤表　https://www.shoeisha.co.jp/book/errata/
　お問い合わせ　https://www.shoeisha.co.jp/book/qa/

インターネットをご利用でない場合は、FAXまたは郵便にて、下記までお問い合わせください。電話でのご質問は、お受けしておりません。
　送付先住所　〒160-0006　東京都新宿区舟町5
　FAX番号　03-5362-3818
　宛先　（株）翔泳社 愛読者サービスセンター

回答は、ご質問いただいた手段によってご返事申し上げます。ご質問の内容によっては、回答に数日ないしはそれ以上の期間を要する場合があります。本書の対象を越えるもの、記述個所を特定されないもの、また読者固有の環境に起因するご質問等にはお答えできませんので、あらかじめご了承ください。

※本書の内容は2022年11月現在の法令等に基づいて記載しています。
※本書に記載されたURL等は予告なく変更される場合があります。
※本書の出版にあたっては正確な記述に努めましたが、著者および出版社のいずれも、本書の内容に対してなんらかの保証をするものではなく、内容やサンプルに基づくいかなる運用結果に関してもいっさいの責任を負いません。

認知症700万人時代の
失敗しない「成年後見」の使い方 第2版

2023年 1 月18日　初版第1刷発行
2023年 4 月15日　初版第2刷発行

著者　鈴木(すずき) 雅人(まさと)
発行人　佐々木 幹夫
発行所　株式会社 翔泳社（https://www.shoeisha.co.jp）
印刷・製本　日経印刷 株式会社

ISBN978-4-7981-7679-6　Printed in Japan